El misterio
del barco fantasma

Laura E. Williams

SCHOLASTIC INC.

New York Toronto London Auckland Sydney
Mexico City New Delhi Hong Kong Buenos Aires

A Jennifer Jones y Richard Welling

Originally published in English as *Mystic Lighthouse Mysteries:
The Mystery of the Phantom Ship*

Translated by José Ramón Ibáñez

ISBN 0-439-76560-9

12 11 10 9 8 7 6 5 4 3   5 6 7 8 9 10/0

Printed in the U.S.A.
First Spanish printing, December 2005

Contenido

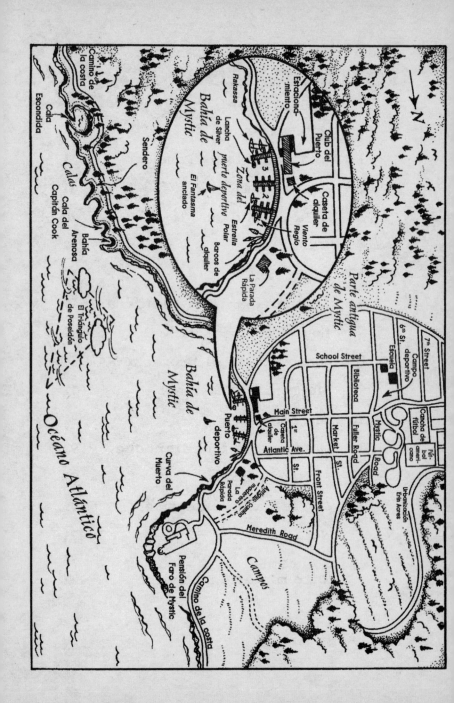

Nota al lector

Bienvenido a *El misterio del barco fantasma*, donde TÚ puedes resolver el misterio. A medida que vayas leyendo, busca las pistas que apuntan al culpable. Al final del libro, hay varias fichas en blanco. Las puedes fotocopiar para anotar los datos de los sospechosos y las pistas que vayas encontrando a lo largo de la historia. Estas son las hojas que Jen y Zeke usarán más adelante cuando intenten resolver el misterio. ¿Crees que eres capaz de resolver *El misterio del barco fantasma* antes que ellos?

¡Suerte!

El Triángulo de Poseidón

—Hace ya bastante tiempo que se fueron —dijo Stacey, mirando la esfera de su reloj que resplandecía en la oscuridad.

Jen miró hacia el horizonte iluminado por la luna, buscando alguna señal del velero en el que su hermano gemelo, Zeke, viajaba como miembro de la tripulación.

—Pronto estará de vuelta el *Estrella Polar*.

Tommy y Stacey, los mejores amigos de los gemelos, estaban sentados junto a Jen en el desgastado banco del puerto deportivo de Mystic. Había muchos visitantes en la pequeña ciudad de Maine por la gran regata de veleros que tendría lugar el sábado. El puerto deportivo, habitualmente tranquilo, bullía con turistas que admiraban los barcos y exploraban la zona.

Tommy dio un gruñido:

—Sin mí en el equipo, la tripulación tendrá que practicar muchísimo.

Jen le dio un codazo en las costillas:

—No seas tan mal perdedor.

—Si no he perdido —farfulló Tommy—. Créeme, alguien ha hecho trampa para sacarme del equipo. Soy uno de los mejores marineros de la zona.

—Tienes razón —dijo Jen. Zeke y Tommy querían ocupar el único puesto juvenil de la tripulación del *Estrella Polar*, pero Tommy había faltado a una de las prácticas y el capitán lo había descalificado. Todavía quedaban otros tres chicos compitiendo con Zeke por el puesto. En Mystic sólo había un equipo que aceptaba a un joven como miembro de la tripulación para la regata.

—Sería estupendo que Zeke consiguiera entrar en la tripulación —añadió Jen.

—Ahora que no estoy yo para disputarle el puesto —dijo Tommy—, es muy probable que lo consiga.

—¡Imagínense, quinientos mil dólares sólo por ganar una regata! —dijo Stacey—. Aunque la tripulación no se quede con el dinero, ¡sigue siendo medio millón!

El puerto deportivo de la ciudad organizadora y el dueño del barco ganador dividían las ganancias, y normalmente se premiaba a la tripulación del barco con una enorme fiesta después de la regata.

—Todos los equipos quieren ganar —dijo Jen—. ¿Y quién no?

Los veleros ya estaban arribando al puerto deportivo de Mystic para el acontecimiento del año. Al día siguiente habría docenas de barcos navegando por toda la costa este. Algunos barcos venían de lugares tan lejanos como Carolina del Sur y Florida y ya estaban amarrados en el puerto. El año pasado, la carrera se había celebrado en Newport, Rhode Island, pero como Mystic había ganado —por primera vez en veinticinco años—, les correspondía a ellos organizar la regata de este año.

Tommy suspiró.

—Si yo estuviera en la tripulación del *Estrella Polar*, haría cualquier cosa para ganar.

Stacey abrió sus ojos azules y preguntó:

—¿Cualquier cosa?

—Cualquiera —dijo Tommy con firmeza—. Aunque no me dieran dinero, sería un gran honor. Podría navegar en el barco que quisiera después de eso y los capitanes me pedirían que trabajara para ellos.

Jen se echó a reír.

—Había pensado que eran los equipos de estrellas de béisbol los que te lo pedirían.

Con una amplia sonrisa, Tommy respondió:

—No hay ningún problema. ¡Puedo hacer las dos cosas!

Los tres se echaron a reír. Aunque Tommy estaba fanfarroneando, Jen tenía que admitir que él era un magnífico marinero y que jugaba béisbol muy bien. Pero todos sabían también que nadie le ganaba comiendo. Y como si quisiera darles la razón a los demás, se levantó y se dirigió al club del puerto.

—¿Alguien quiere un perro caliente? —preguntó Tommy.

Jen y Stacey negaron con la cabeza. Luego Jen vio al capitán Till, el director del puerto deportivo de Mystic, y se lo señaló a su amiga.

—¿Qué está haciendo? —preguntó Stacey.

Jen se encogió de hombros. El musculoso hombre de pelo canoso y barba y bigote totalmente blancos caminaba de arriba a abajo por un embarcadero cercano. De repente, se dio la vuelta con el ceño fruncido, observó la zona con rapidez y se marchó, desapareciendo entre las sombras nocturnas.

—Parece enojado —dijo Jen.

—Probablemente se esté preguntando qué le sucede al *Estrella Polar* —dijo Stacey—. Yo también me lo pregunto.

—¡Deja de preocuparte! —dijo Jen, y le dio una

palmadita a su amiga en la rodilla—. Me estás poniendo nerviosa a mí también.

La idea de navegar en un mar oscuro le ponía los pelos de punta a Jen. Ni siquiera le gustaba salir a navegar a plena luz del día. No le tenía miedo al agua; el problema era el vaivén de los veleros, que siempre le producía náusea.

—¿Qué hacen? —preguntó una voz ronca.

Jen se estremeció. Tardó un instante en darse cuenta de que era el capitán Till, el hombre que acababan de ver caminando por el embarcadero.

—Estamos esperando al *Estrella Polar* —le explicó Jen, preguntándose por qué Till caminaba con tanto sigilo y por qué había aparecido así, de repente.

Las cejas del capitán Till se juntaron cuando miró el reloj.

—Ya tendrían que haber regresado. Espero que no les haya sucedido nada.

Jen tuvo que tragarse el temor que había intentado ignorar.

—Estoy segura de que están bien —dijo, tratando de parecer segura de sí misma.

—No lo sé —dijo el capitán Till sin mucha convicción—. He pasado muchos años en el mar y pueden llegar a ocurrir cosas terribles.

Entonces puso un pie en el banco y se echó hacia adelante, mesándose la barba con los dedos.

—Recuerdo una vez cuando un temporal se nos echó encima de pronto. Por poco nos vuelca, y las olas tiraron a uno de nuestros compañeros por la borda... encontró su tumba en el mar.

Jen tembló. El capitán Till era conocido por sus aterradores relatos sobre el mar, pero ¿tenía que contar uno en este preciso instante?

—Y luego está el Triángulo de Poseidón —continuó el capitán—. Esa zona del mar es muy peligrosa. ¿Por qué? He oído de monstruos marinos gigantes que se han tragado cargueros en un instante. Una vez vi uno con mis propios ojos. Una barcaza que llevaba cincuenta toneladas de mineral de hierro desapareció... *así*, en un instante —dijo, chasqueando los dedos—. Vi un enorme tentáculo justo donde la barcaza había estado unos segundos antes. Nunca volvimos a ver la barcaza ni a los hombres a bordo, y...

—Estoy segura de que el *Estrella Polar* está bien —lo interrumpió Jen, deseando que fuera verdad lo que decía. No quería escuchar ninguna otra historia de monstruos en el Triángulo de Poseidón. La "zona del mar" de la que hablaba el capitán Till era un área triangular donde el agua se encrespaba de manera excepcional y que se encontraba a muy poca distancia de la costa de Mystic. Todos los habitantes de la ciudad habían oído las leyendas de barcos que desaparecían, monstruos que merodeaban y muchos otros misterios marinos. La zona no aparecía señalada en los mapas de navegación, pero los marineros sabían dónde se encontraba y todos tenían mucho cuidado de no atravesarla.

—No se preocupe, señorita —dijo el capitán Till con una risita—. Yo mismo comprobé que el recorrido de la regata no fuera a pasar cerca del Triángulo.

Jen no se sintió aliviada. Sabía que el viento podía desplazar un barco fuera de su ruta si la tripulación no estaba siempre alerta.

El capitán Till se frotó las manos.

—Sí, tengo ese presentimiento —dijo.

A Jen le pareció que hablaba como un pirata.

—¿Qué presentimiento? —preguntó Tommy, que regresaba con la boca llena.

—Que el *Estrella Polar* va a ganar la regata de este año —dijo con firmeza el capitán Till.

Jen también esperaba que fuera así, pero ¿cómo podía estar él tan seguro?

—¿Cómo lo sabe?

El viejo capitán la miró y le hizo un guiño.

—Te lo acabo de decir, tengo ese presentimiento—. Y despidiéndose con un movimiento de la cabeza, se dirigió al puerto deportivo.

—Ese tipo se parece a Santa Claus —dijo Tommy mientras se quitaba un poco de salsa de tomate de la barbilla.

—Es un poco repulsivo para ser Santa Claus —dijo Stacey—. ¡Santa Claus no va por ahí asustando a los niños con historias de monstruos marinos!

Jen asintió sin hacer comentarios. Pero ¿dónde estaba el *Estrella Polar*? ¿Por qué no había llegado al puerto? ¿Se lo habría tragado una serpiente marina? Aunque eso era una ridiculez, no conseguía quitarse de encima esa sensación de fatalidad.

Intentó sintonizar con su hermano gemelo. A veces ella sabía lo que Zeke iba a decir antes de que abriera la boca. Otras veces podía sentir lo que él sentía incluso cuando su hermano se encontraba a kilómetros de distancia.

El terror se apoderó de su estómago. Algo le sucedía a Zeke, y ella lo *sabía*.

✒

Zeke le echó un vistazo al Atlántico. Con la luna casi llena y sólo algunas nubes en el cielo, el mar brillaba como una cubeta repleta de diamantes. El viento inflaba las velas y el agua golpeaba el casco del *Estrella Polar*. Hasta ese momento, el "viaje de prueba" no había tenido complicaciones. Tanto a Zeke como a los otros tres chicos, Liz, Chris y Clara, los evaluaban el capitán Billy Morgan y la Sra. Horn durante el viaje. A Zeke le parecía que lo había hecho muy bien. Había trabajado rápido; también había escuchado las órdenes y había mantenido los cabos y el aparejo guardados cuidadosamente cuando nadie los usaba. Creía que podía ser elegido como el miembro juvenil de la tripulación.

Entonces, ¿por qué se sentía tan inquieto? Intentó quitarse esa sensación.

Quizás tenía algo que ver con el Triángulo de Poseidón, que se hallaba hacia el oeste. Él no era supersticioso ni nada por el estilo, pero después de haber oído todo tipo de relatos espantosos de criaturas marinas gigantes, corrientes extrañas, remolinos peligrosos e incluso barcos piratas fantasmas, no era extraño que el Triángulo lo pusiera nervioso.

En vez de meterse entre el Triángulo y la costa rocosa de Maine, se dirigían a Mystic por el otro lado del Triángulo. Tan pronto como pasaran esa traicionera zona del mar, acortarían en dirección al oeste y se dirigirían al puerto. No habría ningún problema.

—Ningún problema —repitió en voz alta, pero el viento fustigaba las palabras que le salían de la boca y ni siquiera él podía oírlas. Sentado en la cubierta, quiso relajar su espalda y soltar los puños que llevaba apretados.

En un instante, todo el cuerpo se le tensó de nuevo. Vio unas luces a babor. ¿Era su imaginación? No, Zeke vio claramente el perfil de un elegante velero que se deslizaba silenciosamente por el agua, *justo en medio del Triángulo de Poseidón*. Un instante más tarde, ¡el barco había desaparecido!

2

¿Otra broma?

—¡Capitán! —dijo Zeke mientras se ponía de pie rápidamente—. ¡Capitán, venga aquí!

—¿Qué sucede? —preguntó el desgarbado capitán mientras caminaba hacia Zeke—. ¿Has visto un monstruo marino en el Triángulo?—. Y se echó a reír.

—No... pero he visto un velero.

El capitán Morgan frunció el ceño y entrecerró los ojos.

—¿Dónde?

Zeke le indicó.

—Justo allí, señor. Apareció de repente, y un momento más tarde había desaparecido. Como si se lo hubiera tragado el mar.

—¿Me estás tomando el pelo? —le preguntó el capitán, mirando detenidamente a Zeke.

—No, se lo juro. Lo he visto.

El capitán Morgan dio un grito a los otros miembros de la tripulación.

—¡Cambien de rumbo!

Inmediatamente, la tripulación corrió para ponerse en acción.

—¿Adónde vamos? —preguntó Liz—. Creía que nos dirigíamos a casa.

—Zeke ha visto un barco en el Triángulo de Poseidón. Tenemos que comprobarlo y asegurarnos de que no haya sucedido nada.

—¿Nos vamos a meter allí? —preguntó Chris alarmado. El chico, bajito y pelirrojo, estaba en algunas clases de sexto grado de Zeke en la escuela secundaria de Mystic, pero parecía que Zeke lo veía por todos lados desde que comenzó la competencia por el puesto juvenil hacía algunas semanas.

—No tenemos otra opción —dijo el capitán bruscamente.

—Cuando no encontremos nada, te echarán del equipo —le dijo Liz a Zeke entre dientes, y después sonrió maliciosamente. Ella era una chica alta que siempre llevaba una cuidada cola de caballo rubia y actuaba como si tuviera mucha más edad de la que tenía. También actuaba como si ya hubiera sido elegida para el puesto en el velero.

Incluso Clara, que estaba en séptimo y miraba a

todos tranquilamente a través de sus gafas de montura metálica, le echó una mirada maliciosa a Zeke.

—Bien hecho, Zeke —murmuró.

Zeke intentó ignorar los comentarios. La jarcia chirrió cuando el barco giró hacia el Triángulo. Zeke mantuvo los ojos abiertos, buscando en el agua alguna señal de naufragio: brazos que hicieran señales, algún chaleco salvavidas flotando, algún pedazo de madera, algo...

Tras unos minutos de búsqueda, el capitán Morgan dijo:

—No veo nada. ¿Estás seguro de lo del barco, Zeke?

Zeke tragó saliva. *Creía* estar seguro, pero eso no explicaba cómo el barco se había desvanecido como si fuera un fantasma. Intentó imaginárselo aunque sólo le vino a la mente una imagen de delfines saltando en el agua en vez del elegante velero que creía haber visto.

—Bien —dijo a regañadientes—. Creí que era... aunque quizás fue solamente un banco de delfines.

—¿Delfines? ¿Por qué no lo dijiste desde el principio? Salgamos del Triángulo —dijo el capitán Morgan enojado, y dio la orden de cambiar de rumbo.

La tripulación volvió a dirigir el barco hacia el puerto de Mystic. Poco después, arriaron las velas y llegaron a motor hasta el embarcadero dos. Zeke saludó a Jen, Stacey y Tommy, que lo estaban esperando, pero no pudo marcharse hasta que no ayudó a recoger y enrollar los cabos, atar las velas y limpiar la cubierta con una manguera.

—Por fin —exclamó Jen cuando su hermano saltó a tierra.

—¿Preocupada? —dijo Liz con tono burlón antes de que Zeke pudiera decir la primera palabra.

Jen miró con mala cara a la chica que competía por el mismo puesto que su hermano.

—No —dijo, mintiéndole—. Se está haciendo tarde y mañana tenemos clases.

Liz suspiró:

—Le puedes echar la culpa a Zeke. —Luego miró a Tommy y sonrió—. Qué lástima que perdieras esa práctica y te echaran del equipo. Podría haber tenido algún competidor—. Y diciendo eso, se arregló su larga cola de caballo y con paso lento y decidido se alejó del embarcadero.

Tommy le lanzó una mirada desafiante.

Clara pasó entre los cuatro sin decir una sola palabra, pero Chris sí se detuvo:

—Las chicas son tontas —dijo el chico pelirrojo mientras señalaba a Liz.

—Pues sí —dijo Tommy—. Probablemente fue ella quien me llamó para decirme que se había cancelado la práctica cuando en realidad no fue así. Liz quería que me echaran del equipo y sabía que la única forma de hacerlo era mediante el engaño. Pero el capitán Morgan no se creyó lo de la llamada.

—Porque no podías probarlo —le recordó Stacey.

Tommy levantó una mano.

—Lo juro. Alguien me llamó diciendo que era la Sra. Myers o Matthews o alguien del puerto deportivo y que el capitán Morgan le había pedido que nos llamara para cancelar la práctica. ¿Por qué iba yo a inventar eso?

—Quizás el capitán pensó que volvías a ser el perezoso de antes —dijo Stacey.

—Muy gracioso —dijo Tommy refunfuñando.

—Liz cree que ella va a conseguir el puesto juvenil —dijo Chris, y se volvió hacia Zeke—. Pero yo sé que *tú* lo conseguirás porque eres el mejor.

—Oh, gracias —dijo Zeke, que no estaba muy pendiente de la conversación. Estaba acostumbrado a la actitud engreída de Liz y estaba preocupado por cosas más importantes.

—Bueno, tengo que irme a estudiar para el examen de mañana. Nos vemos entonces —dijo Chris, y se alejó rápidamente.

—¿Por qué te culpó Liz de que el *Estrella Polar* llegara tarde? —le preguntó Jen a su hermano.

Zeke respiró hondo sin saber si su hermana y sus amigos creerían lo que les iba a decir. Ni siquiera él mismo estaba seguro de haberlo visto.

—¡He visto un barco fantasma!

—¿Qué? —dijo Jen.

Comenzaron a caminar hacia el puerto deportivo para que Zeke pudiera recoger su mochila de la taquilla.

—He visto un velero justo en medio del Triángulo de Poseidón. Estuvo allí por un momento y después desapareció.

—Deben de ser imaginaciones tuyas —dijo Stacey.

—¿Estás seguro de haberlo visto? —preguntó Jen.

Zeke se encogió de hombros.

—Estoy bastante seguro de haberlo visto, pero cuando fuimos al Triángulo a mirar, no vimos nada.

—Quizás alguien te gastó una broma —dijo Tommy.

—¿Lo mismo que los cabos con nudos que encontraste en el *Estrella Polar* y que alguien puso a remojar en agua de mar? —preguntó Jen.

Zeke emitió un quejido. ¿Cómo podía olvidar las horas que le había llevado desatarlos? Y lo peor fue que el capitán Morgan dijo que Zeke era el responsable de lo sucedido por no haberlos amarrado correctamente, aunque él estaba seguro de haberlo hecho.

—Quizás fue una broma —dijo pensativamente.

Atravesaron el vestíbulo del club del puerto en dirección a los vestuarios. Tommy se detuvo frente a la vitrina para admirar el trofeo de oro que Mystic había ganado en la regata del año anterior.

—Ojalá ganemos de nuevo —dijo Stacey, mirando la copa de oro con el velero grabado a un lado.

—Eso espero —agregó Jen mientras se preguntaba por qué el capitán Till estaba tan seguro de ello.

Zeke se apresuró a llegar a los vestuarios de hombres para recoger su mochila. Cuando llegó a su taquilla,

frunció el ceño: la puerta verde de metal con el número 34 estaba a medio abrir.

—Creí haberla cerrado —dijo en voz alta en medio de los vestuarios vacíos y se encogió de hombros. Se echó la mochila al hombro y cerró con cuidado la puerta de la taquilla. Luego giró el cierre y comprobó que estuviera bien cerrada.

En el vestíbulo sólo lo esperaba Jen.

—Stacey y Tommy tenían que irse a casa —le explicó—. Será mejor que nos vayamos nosotros también. Tía Bee estará preocupada a pesar de que la llamé hace una hora.

Tía Bee era la dueña de la pensión del Faro de Mystic que estaba en las afueras de la ciudad. Jen y Zeke vivían con ella desde que murieron sus padres en un accidente automovilístico nueve años atrás, cuando los hermanos gemelos tenían solamente dos años. Los hermanos no querían preocupar a tía Bee porque ella ya tenía suficiente atendiendo a los huéspedes del faro.

Cuando Jen y Zeke salieron, les tomó un instante adaptarse a la tenue luz procedente del embarcadero. Aparte de las voces que provenían de algunos de los barcos, todo estaba tranquilo. En ese instante, la mayoría de los turistas se había acostado a dormir en las diversas casas de huéspedes y los moteles de los alrededores de la ciudad. Todas las habitaciones de la pensión estaban ocupadas por visitantes que habían llegado a la ciudad para la regata.

De repente, Jen agarró a Zeke del brazo.

—¿Qué es aquello? —dijo, señalando el embarcadero dos.

Zeke miró detenidamente las sombras. Una figura que vestía ropa oscura y caminaba agachada entró silenciosamente en el *Estrella Polar*.

Cala Escondida

—Apúrate —le susurró Zeke—. Veamos qué es lo que trama—. Y se fue disparado hacia el embarcadero con la mochila rebotándole en la espalda.

Jen siguió a su hermano de cerca. Cuando llegaron al embarcadero de madera, aflojaron el paso para evitar que sus zapatillas hicieran ruido en las tablas y alertaran al intruso.

A medida que avanzaban sigilosamente, Jen apenas podía distinguir la sombra que se movía dentro del barco. Justo cuando alcanzaron los cabos que amarraban el *Estrella Polar*, la figura encorvada los divisó y saltó del barco. Los empujó para apartarlos, pasó corriendo entre ellos y huyó. Jen tuvo que agarrarse de la barandilla para no caer y Zeke dio un traspié, pero pudo recuperar el equilibrio.

El perfil oscuro del intruso desapareció en las negras sombras más allá del puerto deportivo.

—¿Te encuentras bien? —preguntó Zeke mientras ayudaba a Jen a ponerse de pie.

—Sí, estoy bien. ¡Pero cuando le ponga las manos encima al estúpido ese, sabrá lo que se siente cuando lo tiran a uno al suelo!

Zeke se echó a reír.

Jen le echó una mirada.

—¿Qué te hace tanta gracia? —le dijo.

—Tú, cuando te enfadas. Aparentas ser una fiera, pero cuando llega el momento, eres más modosita que Slinky —dijo, refiriéndose a su mascota, un gato de angora.

—¿Qué sucede? —preguntó una voz enojada. Los dos se voltearon y vieron al capitán Morgan, que se acercaba a grandes zancadas—. ¿Qué hacen aquí? Saben que no pueden acercarse al barco cuando no hay nadie a bordo.

—Hemos visto a un intruso en el *Estrella Polar* —le explicó Zeke—. Lo hemos seguido hasta aquí.

El capitán Morgan frunció el ceño.

—¿Quién era?

—No sabemos —dijo Jen—. Tan pronto como nos acercamos al barco, dio un salto y nos tiró al suelo de un empujón. Yo casi me caigo al agua.

—Bueno, es demasiado peligroso para dos chicos estar aquí por la noche. Estoy seguro de que a su tía no le gustará saber que ustedes andan por aquí a estas horas. Ahora márchense a casa. No me gustaría tener en cuenta esto para tu evaluación, Zeke.

Jen abrió la boca para protestar, pero Zeke la interrumpió y tiró de ella. Sabía que era mejor alejarse que discutir con el capitán Morgan. Estaba seguro de que el capitán pensaba que era él quien estaba detrás de todas las bromas, como la de hacer nudos en los cabos. Seguramente pensaba también que había inventado lo del velero en el Triángulo de Poseidón. Zeke suspiró. Si seguía así jamás sería elegido como miembro de la tripulación del *Estrella Polar*.

En silencio, los hermanos fueron hasta donde estaban sus bicis. Tan pronto como salieron de la ciudad pudieron ver la luz del faro que brillaba a lo lejos en el acantilado. A Jen le encantaba la forma en que parecía darles la bienvenida a casa. Aunque el faro ya no se usaba oficialmente, a tía Bee le gustaba mantener la luz intermitente. Decía que le daba un aire de antigüedad a la pensión.

Llegaron al faro por el empinado camino, aparcaron las bicis y se apresuraron a entrar.

—Estoy aquí —dijo tía Bee desde el enorme comedor, donde estaba colgando una tira de luces con forma de ancla. Cuando los hermanos aparecieron, ella les sonrió—. Estoy preparando el banquete para la víspera de la regata. Con tantos invitados, no me va a dar tiempo de decorar si espero hasta el último minuto.

—¿Necesitas ayuda? —preguntó Zeke.

—¡No, gracias! —dijo tía Bee—. Seguro que tienen tareas y ya es muy tarde. Descansen y luego váyanse a la cama. ¡Sólo faltan tres días para la gran regata!

Los hermanos le dieron un abrazo de buenas noches y se dirigieron al museo circular situado en la segunda planta del faro. La habitación de Jen estaba en el tercer piso y la de Zeke ocupaba el cuarto. Cliff, el tío de los hermanos, había renovado la torre del faro antes de morir para que ellos la usaran.

Cuando subían las escaleras, Jen se detuvo y respiró hondo.

—Creo que mañana deberíamos examinar el Triángulo de Poseidón.

—¿Estás loca?

—Tenemos que buscar alguna pista de lo que viste esta noche. No creo que fuera tu imaginación y tú tampoco crees que sea así. No querrás que suceda nada raro que eche a perder la regata, ¿verdad? Tenemos que averiguar lo que sucedió con ese barco.

—Pero ¿y tus mareos?

A Jen se le revolvió el estómago de sólo pensarlo.

—Esto es más importante.

—Cierto —dijo Zeke—. Podemos ir en una lancha de motor para que no te marees tanto. Echaremos un vistazo al Triángulo, pero de ninguna manera nos vamos a meter *dentro*. El capitán Morgan nos hizo navegar alrededor del Triángulo y daba mucho miedo.

Jen sintió alivio. Aunque sabía que era un mito, no quería arriesgarse a ser devorada por un monstruo marino con tentáculos gigantes o ser absorbida por un remolino misterioso y que nunca se volviera a saber de ella.

Zeke dejó a Jen en la puerta y subió el siguiente tramo de escaleras hasta su habitación. Las escaleras todavía daban otra vuelta más hasta la plataforma descubierta en la parte superior del faro.

Su habitación estaba decorada con afiches de coches de carrera y objetos de Star Wars ordenados cuidadosamente en las estanterías. Zeke no tenía que hacer ninguna tarea pero necesitaba estudiar para el examen escrito que el capitán Morgan les iba a poner al día siguiente. El capitán había hecho muy difícil la competencia por el puesto juvenil. Zeke se sentó en la cama y abrió su mochila. Ojeó los libros y papeles cuidadosamente guardados y buscó los apuntes que había tomado durante las semanas de práctica. Sobresaltado, volvió a mirar en la mochila. Todos los libros estaban exactamente donde los había puesto, pero sus apuntes de navegación habían desaparecido. Asustado y con un nudo en la garganta, esparció el contenido de su mochila sobre la colcha. Delante de él había varios bolígrafos y lápices, cuatro libros, unos papeles, algunas piedrecillas y varias envolturas de caramelo, pero ¡no sus apuntes!

El corazón le latía con fuerza. Revisó cada uno de los libros y todos los papeles. Sus apuntes habían desaparecido. Ahora no le quedaba más remedio que revisar el libro de la tripulación, tomar apuntes nuevamente y estudiarlos. Le echó un vistazo al reloj que estaba junto a la cama: eran las 10:00. Tenía por delante una noche muy larga si quería formar parte del equipo.

El jueves, después de la escuela, Zeke bajó casi arrastrándose al puerto deportivo, donde había quedado en encontrarse con Jen.

—¿Qué te pasa? —le preguntó ella.

Él bostezó.

—Anoche no pude encontrar mis apuntes en mi mochila y tuve que revisar el libro entero de nuevo—. Bostezó una segunda vez.

Jen bostezó también.

—¡Bueno, basta ya! Ya sabes lo contagiosos que son los bostezos y yo ni siquiera estoy cansada. ¿Y tus apuntes? ¿Los dejaste en algún sitio?

Zeke negó con la cabeza.

—Eso es lo raro. Estoy seguro de que al terminar la escuela estaban en mi mochila —dijo, y comenzó a dirigirse al club del puerto—. No sirve de nada preocuparse ahora por eso. Estoy listo para hacer el examen, pero si queremos ir al Triángulo de Poseidón, será mejor que salgamos ahora. No quiero llegar tarde. El capitán dijo que el examen comenzaría a las cinco en punto en el salón de conferencias del puerto deportivo.

Jen miró la hora en su reloj.

—Eso quiere decir que tenemos una hora y media. Vamos.

Firmaron el registro para alquilar una lancha con motor fueraborda y se colocaron los chalecos salvavidas. Luego Zeke tiró de la cuerda para encender el motor de la lancha. Justo cuando comenzaba a petardear, el capitán Till les hizo una señal con la mano desde el extremo del embarcadero.

—Esperen, niños —los llamó.

Zeke detuvo el motor mientras esperaban al hombre de pelo canoso que se les acercaba corriendo.

—¿Adónde van? —les preguntó el capitán Till.

—Vamos a dar un paseo —dijo Zeke—. El agua está tan tranquila que es el día perfecto para pasear.

—Manténganse alejados de las calas del sur —les advirtió el capitán rascándose la barba—. Por allí hay corrientes muy peligrosas.

Jen asintió, pero le pareció extraño que el capitán dijera esto. Todos en Mystic sabían que alrededor de las calas del sur había corrientes, pero eso no impedía que la gente fuera a explorarlas cuando hacía buen tiempo y la marea estaba baja.

—Y, por supuesto, aléjense del Triángulo de Poseidón —añadió, guiñándoles un ojo.

—Sí, señor —dijo Zeke, haciendo un saludo. Después manejó la lancha para alejarse del embarcadero.

Cuando Jen miró hacia atrás, el capitán Till seguía allí, mirándolos.

—¿Por qué tantas advertencias? —se preguntó en voz alta.

—Le gusta ser el abuelo de todos. Ya sabes, cuidarnos —dijo Zeke mientras el viento le movía su ondulado cabello castaño a medida que la lancha aceleraba la marcha.

Jen se agarraba desesperadamente mientras la lancha golpeaba las olas y el agua le salpicaba en la cara. Entrecerraba los ojos para que no les entrara sal. Como sabía que Zeke no la oiría con el motor encendido, pensó que tenía que acordarse de comentarle a Zeke lo que había dicho el capitán Till la noche anterior. El jefe del puerto deportivo estaba muy seguro de que el *Estrella Polar* ganaría la carrera este año, ¿por qué?

La lancha subía en el aire y caía con tal fuerza que se le quedó la mente en blanco. Zeke daba gritos de júbilo. Jen repetía en silencio: No voy a vomitar, no voy a vomitar.

Finalmente, Zeke aminoró la marcha y giró hacia el sur para salir del puerto de Mystic. A la derecha, las calas se metían en la costa y a la izquierda se hallaba el Triángulo de Poseidón, como un monstruo marino invisible que esperaba para abalanzarse si se acercaban demasiado.

—No creo que encontremos nada en el Triángulo —dijo Zeke gritando por encima del ruido del motor—, pero mantén los ojos bien abiertos, por si acaso.

—Echemos también un vistazo a las calas —sugirió Jen—. De haber habido un accidente, quizás la corriente se llevara algo.

Zeke asintió. Había docenas de calas a lo largo de ese tramo de la costa y él todavía disfrutaba explorándolas, al igual que Jen, cuando conseguía montarla en un barco. Cuando eran más pequeños, se pasaban horas jugando a los piratas.

La primera ensenada se llamaba Bahía Arenosa.

Zeke no tenía ni idea de por qué se llamaba así, porque no se veía ni un grano de arena y sólo había acantilados que caían al Atlántico. Zeke determinó que la siguiente cala, la Cala del Capitán Cook, fue nombrada por alguien a quien le gustaba la aliteración. Cuando salieron de allí, Zeke volvió a poner rumbo al sur.

En la sexta cala, Jen ya había tenido más que suficiente:

—Quizás deberíamos regresar —dijo, pero Zeke había acelerado de nuevo y no podía escucharla por encima del ruido del motor.

—Revisemos una más —dijo Zeke—. Mi favorita es la siguiente, Cala Escondida.

A Jen no le importó demasiado, ya que se sentía bien del estómago.

—Está bien —dijo.

Cala Escondida estaba a tres minutos más en dirección sur. Se llamaba así porque desde el mar parecía una depresión poco profunda en medio del acantilado, pero detrás de una enorme roca saliente había una gran cala de aguas profundas y una playa rocosa.

Dieron la vuelta a la roca y vieron que la cala estaba tan vacía como todas las otras en las que habían estado. No había restos del velero naufragado, ni tampoco había aceite en la superficie del agua procedente de algún tanque de gasolina hundido, ni ningún superviviente abandonado que les hiciera señales desde la costa. Su misión había sido poco menos que una pérdida de tiempo.

—Espera un segundo —gritó Jen justo cuando Zeke se disponía a dar la vuelta. Jen señaló hacia la playa rocosa.

Zeke dirigió la lancha en esa dirección. Al acercarse, vio lo que su hermana había divisado desde mucho más lejos: los restos de una hoguera.

—Todavía humea un poquito —dijo Jen.

Zeke asintió.

—Extraño lugar para una fogata.

—Quizás alguien acampó aquí anoche, una familia o algunos chicos de secundaria.

Zeke empujó la lancha contra la orilla y Jen saltó con un cubo. Lo llenó de agua de mar y sofocó rápidamente el fuego hasta que dejó de echar humo.

No encontraron nada más en la cala, por lo que se dirigieron al puerto deportivo. Jen mantuvo los ojos fijos en el mar, buscando algo fuera de lo corriente, ya fuera dentro o cerca del Triángulo de Poseidón.

Cuando se adentraron en las aguas más tranquilas del puerto, Zeke redujo la velocidad.

—Ese velero —dijo Zeke mientras señalaba el puerto—. ¡Es el que vi anoche en el Triángulo de Poseidón!

El Fantasma

Jen se asombró al ver la elegante nave que estaba anclada en medio del puerto. No había nadie en la cubierta.

—¿Estás seguro? —le preguntó ella.

—Totalmente —dijo Zeke—. Podría jurar que cuando vi el velero también vi delfines que saltaban del agua. Mira el mascarón de proa. Eso fue lo que me pareció tan extraño anoche.

Jen se quedó admirando los delfines magníficamente tallados que parecían saltar de la proa del barco. El velero blanco lucía imponente con los gráciles delfines azules emergiendo de la proa.

—¿Cuándo fue la última vez que viste un velero con un mascarón de proa? —preguntó Zeke.

—Nunca —admitió Jen.

—Exactamente —dijo Zeke—. Y eso explica por qué pensé que lo que había visto había sido un banco de delfines en vez de un barco.

Jen negó lentamente con la cabeza.

—No tiene sentido.

—¿Por qué no?

—Este barco no estaba aquí anoche. Si anoche lo viste en el Triángulo de Poseidón, habría llegado antes o justo después que el *Estrella Polar*. ¿Cómo explicas eso?

Zeke frunció el ceño.

—No sé, pero sé que vi esos delfines.

—A lo mejor sí viste un banco de delfines —razonó Jen—. Es que tú no ves muy bien.

Zeke no contestó. Acercó la lancha al barco anclado. Los delfines tallados parecían reales. Quizás Jen tenía razón: creyó simplemente que eran los mismos delfines que había visto la noche anterior. "Pero yo sé que vi el perfil de un barco", pensó. Se fijó en el nombre del barco pintado en la popa y contuvo el aliento.

Jen reprimió un grito. Ella también había leído el nombre.

El Fantasma.

Los gemelos se miraron con sus ojos azules bien abiertos:

—¡Qué extraño es todo esto! —dijo Jen casi susurrando.

Zeke hizo girar la lancha de goma hacia el puerto para alejarse de *El Fantasma*. De repente, no quería tener nada que ver con ese barco. Se le aparecía cuando menos lo esperaba. La noche anterior había visto un banco de delfines, y esa debía de ser una explicación más que suficiente para él. Además, tenía que concentrarse en el examen que estaba a punto de comenzar.

Después de que ambos amarraran la lancha y volvieran a firmar en el cobertizo de los botes, se dirigieron al club del puerto. Antes de llegar allí, Tommy vino corriendo hacia ellos.

—Se han robado el trofeo —dijo sin aliento.

—¿Qué trofeo? —preguntó Zeke sin detenerse, pues no quería llegar tarde al examen.

—¡El trofeo de la regata que ganó Mystic el año pasado!

Zeke se detuvo en seco.

—¿De la vitrina?

Tommy dijo que sí, intentando recuperar el aliento.

—¿Quién podría robarse eso? —preguntó Jen—. Porque no es algo que se pueda poner sobre la repisa de la chimenea o algo por el estilo.

Los tres entraron rápidamente al club del puerto.

Un grupo de personas se había reunido alrededor de la vitrina vacía. El capitán Till permanecía en medio del alboroto, tirándose de la barba blanca nerviosamente.

Zeke negó con la cabeza.

—No puedo creer que alguien se lo robara —dijo, echándole un vistazo a su reloj. Se tenía que ir porque el capitán Morgan lo echaría de la competencia por el puesto juvenil si llegaba tarde.

—Te veo después del examen —le dijo a Jen.

—Suerte —le dijo ella y le dio un apretón en el brazo. Zeke desapareció entre la multitud que se agolpaba y Jen regresó a la vitrina vacía. Vio que Stacey estaba en medio del gentío con su cuaderno de apuntes de periodista en la mano, preguntándole a la gente si habían visto algo sospechoso.

—Tendrían que haber cerrado el armario con llave —dijo Tommy.

Jen no estaba de acuerdo. Mystic era una ciudad tan segura que ni siquiera se robaban las bicis que no llevaban candado. ¿Quién podría pensar que el famoso trofeo iba a desaparecer?

La voz retumbante del capitán Till se elevó por encima del alboroto de la gente.

—¡Esto es una vergüenza! —dijo a gritos—. Seremos el hazmerreír en el mundo de las regatas. ¡Se han robado la copa en nuestras narices!

Jen intentó sobreponerse a una incómoda sensación. Estaban sucediendo cosas demasiado extrañas: todas las "bromas" ocurridas en el *Estrella Polar*, los delfines misteriosos que Zeke había visto la noche anterior, la figura encorvada merodeando por el puerto y, ahora, esto.

Stacey le dio un golpecito en el estómago con el lápiz, lo que interrumpió sus pensamientos.

—¿Has visto algo sospechoso?

—¿Cuándo? —le preguntó Jen mientras se preguntaba si alguien, además de ella, consideraría que había algo sospechoso acerca de la hoguera en Cala Escondida o *El Fantasma*—. ¿Dónde?

Stacey puso los ojos en blanco.

—Aquí, tonta. ¿Has visto algo que pueda llevarnos a la captura del ladrón?

—No —dijo Jen—. Anoche el trofeo estaba todavía en la vitrina, ¿recuerdas? Alguien debe de haberlo robado hoy.

—Ya había llegado a esa conclusión —dijo Stacey mientras revisaba sus notas—. Voy a pasar esto en limpio para el periódico escolar. Nos vemos—. Y se fue sin decir adiós.

Mientras Jen la veía marcharse, algo le llamó la atención. Una persona poco familiar se mantenía a un lado, cerca de las puertas de cristal de la salida. Era de baja estatura y el cabello entrecano le caía por la frente. Jen se dio cuenta entonces de que en realidad no era de baja estatura sino que estaba encorvada.

De pronto, lo reconoció. Era el hombre que vieron en el embarcadero y que subió a bordo del *Estrella Polar* la noche anterior. No había estado agachado sino que su columna parecía estar encorvada de forma permanente. Mientras más lo miraba, más familiar le resultaba. ¿No lo había visto *antes* en otro lugar?

Jen le dio un codazo a Tommy en las costillas:

—No mires ahora —dijo con sigilo—, pero allí hay un tipo de pie.

Tommy se volteó.

—¿El tipo encorvado? ¿Qué pasa con él?

—Te dije que no miraras —le dijo entre dientes.

De repente, el hombre descubrió que lo estaban mirando. Dio una vuelta con rapidez y salió por la puerta.

—¿Lo has visto alguna vez? —le preguntó Jen, estirando el cuello para no perder de vista al hombre.

—Claro que sí —dijo Tommy—. Lleva aquí varios días. Supuse que era miembro de alguna tripulación de las que sale a navegar temprano en la mañana.

"¿Entonces por qué estaba husmeando en el *Estrella Polar*?", pensó Jen.

—Voy a seguirlo —dijo.

—Como quieras —dijo Tommy—. Yo, por mi parte, voy a comprarme algo para comer—. Y se dirigió a la cantina.

Pero antes de que Jen pudiera dar un solo paso tras el hombre encorvado, alguien la agarró del brazo. Se volteó de pronto y encontró a Zeke a su lado. Estaba pálido.

—¿Qué sucede? —exclamó Jen.

Su hermano no le dijo nada. Sólo levantó la bolsa azul de deportes que guardaba en su taquilla en el club del puerto deportivo. Estaba cerrada.

Ella no entendió y preguntó:

—¿Qué?

—Mira dentro —susurró nervioso.

Jen tomó la bolsa. La encontró pesada. Abrió lentamente el cierre por una esquina:

—¡Oh, no!

¡Atrapada!

Zeke vio que los ojos de su hermana se abrían horrorizados mientras observaba el trofeo desaparecido que estaba en su bolsa.

—¿Dónde lo has encontrado? —preguntó ella muy bajito antes de cerrar la bolsa rápidamente.

—Estaba en mi taquilla. Mi taquilla *cerrada*. Alguien lo puso en mi bolsa.

Jen le pasó la bolsa:

—Ese *alguien* está tratando de que te echen de la competencia.

—Eso es lo que me figuro yo también —dijo—, pero no sé quién puede ser.

—Debe de ser Liz —dijo inmediatamente Jen, procurando no elevar el tono de voz—. Se cree muy lista. Siempre está alardeando de que ella va a ganar la competencia por el puesto juvenil.

—Quizás —dijo Zeke—. Pero Clara es tan callada, ¿alguien tiene idea de lo que piensa?

—Y Chris no es el tipo. De hecho, sigue diciendo que cree que vas a ser tú quien gane.

Zeke dio un suspiro.

—Posiblemente nunca lo averigüe. De todos modos, ¿cómo puedo devolver esto? —preguntó mientras señalaba la bolsa—. ¿Quién va a creer que lo envolvieron en una toalla con mi nombre y que lo ocultaron en mi taquilla? Sin duda el capitán Morgan me echará de la competencia.

Jen se mordisqueó el labio inferior y miró a su alrededor para comprobar que nadie les prestaba atención.

—Dámelo —dijo ella—. Yo me ocupo de esto. Tú tienes que hacer el examen.

Zeke le entregó de mala gana la bolsa.

—¿Qué vas a hacer? El problema es mío, no tuyo.

—No te preocupes. Ya pensaré en algo. Tienes que hacer el examen y aprobarlo. Eso es lo más importante ahora mismo. Date prisa o llegarás tarde.

Zeke dudó.

—Gracias, hermanita.

Jen se echó a reír y le dijo:

—No te preocupes, me debes la fama por esto.

Zeke se apresuró a llegar a la sala de conferencias

en la parte de atrás del club del puerto. Fue el último en entrar y sentarse.

El capitán Morgan lo miró con mala cara y comprobó la hora en su reloj.

—Con el tiempo justo, Zeke. Me alegra que nos acompañes.

Ruborizado, Zeke sacó un lápiz de su bolsillo trasero y esperó en silencio a que le pusieran el examen delante.

—Tienen dos horas —dijo el capitán antes de sentarse en una silla desde donde podía controlar a los cuatro participantes.

Zeke inclinó la cabeza sobre el examen y escribió su nombre en la esquina superior derecha. Esa era la parte fácil.

1. ¿Qué es la escota de foque y cuándo se usa?

No es que las preguntas fueran difíciles, algo de lo cual Zeke se dio cuenta tan pronto como le echó un vistazo al examen, sino que esperaba que los gritos de "¡Ladrona! ¡Ladrona!" llegaran de un momento a otro a la sala de conferencias a través del vestíbulo. No podía dejar de imaginar que arrestaban a Jen por robar el trofeo de oro. ¿Cómo podría devolverlo sin que la vieran? ¿Qué diría tía Bee cuando tuviera que ir a la comisaría para recogerla? Los castigaría a los dos de por vida. Luego recapacitó: tía Bee era justa y no los castigaría hasta que no hubiera escuchado toda la historia. Pero ¿quién creería que fue otra persona la que puso la copa de oro en su taquilla, la taquilla que él cerró cuidadosamente con su combinación la noche anterior?

Bajó los ojos al examen. Hasta ahora no había contestado una sola pregunta.

"¿Quién puso el trofeo en mi taquilla?"

Miró de reojo a Clara para que el capitán Morgan no pensara que estaba copiando. Ella estaba totalmente concentrada en el examen y ni siquiera notó que él la miraba. Zeke negó con la cabeza. No parecía el tipo de persona que hiciera algo tan horrible.

Miró al otro lado, hacia Liz. Ella, por otro lado, parecía la candidata perfecta. Liz era una de las personas más competitivas que él había conocido jamás.

Finalmente, inspeccionó a Chris, que estaba mordisqueando la punta del lápiz mientras miraba al techo.

Zeke volvió al examen, pero no podía dejar de pensar en la copa de oro. Sabía *por qué* le habían hecho esto. ¡Pero tenía que averiguar *quién* había sido!

Mientras le daba golpecitos a la mesa con el borrador, se imaginaba al ladrón robando la copa, entrando sigilosamente en los vestuarios...

Con una sacudida, Zeke se enderezó. *¡Por supuesto!*

Al fin sabía quién había estado gastándole todas las "bromas" y quién había colocado el trofeo en su bolsa de deportes para que lo echaran de la competencia. Ahora no podía hacer nada, pero el hecho de saber quién era el culpable lo hizo sentirse mejor.

Seguía sin oír todavía ningún alboroto afuera, por lo que comenzó a relajarse. Se concentró y comenzó a escribir, y no se detuvo hasta que, dos horas más tarde, el capitán Morgan dijo: "Es la hora".

Jen llevaba en la mano derecha la voluminosa bolsa de deportes de Zeke mientras caminaba por el club. ¿Podría alguien adivinar lo que había dentro de ella? Después de todo, una copa gigante parecía una copa gigante, incluso oculta en una bolsa. Con sumo cuidado buscó a Tommy, ya que iba a necesitar su ayuda para colocar el trofeo en su lugar sin que nadie la pillara y la culpara del robo.

—Sabía que te encontraría aquí —dijo cuando finalmente lo localizó al lado de la máquina de los helados en la cantina. Tommy acababa de comprarse un cono con helado extra y virutas de chocolate.

—¿Quieres probar? —le ofreció Tommy.

Jen negó con la cabeza.

—Necesito tu ayuda.

—Por supuesto. Déjame que acabe esto —y le dio un enorme lengüetazo a la parte superior del cono.

—Necesito tu ayuda *ahora* —dijo Jen.

Se inclinó hacia él y le contó lo que había sucedido.

—¿Por qué se lo robó? —le preguntó Tommy cuando ella acabó de contárselo.

—¿Quién?

—Zeke.

Jen apretó los dientes.

—Zeke no se robó el trofeo.

—Pero dijiste que estaba en su bolsa de deportes —dijo Tommy mientras señalaba con el helado la bolsa que Jen todavía llevaba en la mano.

—*Alguien* debió de ponerlo ahí, al igual que alguien te llamó para decirte que se había cancelado la práctica.

—Oh —dijo Tommy, entendiéndolo por fin. Entonces puso mala cara—. Estoy seguro de que fue Liz.

—No tenemos tiempo para averiguar eso ahora —dijo Jen—. Quiero deshacerme de esta cosa cuanto antes. Escucha, tengo una idea.

Cuando acabó de explicarle su plan, Tommy sonrió burlonamente.

—Creo que lo puedo hacer.

—Dependo de ti —dijo Jen con toda seriedad—. Cuenta hasta quince y luego empieza.

Una vez que Tommy le dijo que sí, Jen volvió al vestíbulo de entrada, contando lentamente hasta quince mientras caminaba.

Justo cuando se acercaba a la vitrina vacía, escuchó un fuerte grito procedente del pasillo.

—¡Puaj! ¡Una rata! —gritó Tommy—. ¡He visto una rata enorme y asquerosa!

La gente que todavía permanecía cerca de la vitrina se marchó corriendo en dirección a la cantina.

Tommy siguió gritando y muy pronto otras voces se unieron a la suya.

—¿Adónde se fue?

—¡Socorro! ¡Odio las ratas!

—¡Acabo de verla irse por allí!

—¡Buah!

—¡Qué asco!

Jen sonrió a pesar de su nerviosismo. ¡El bueno de Tommy!

Tan pronto como el vestíbulo quedó vacío, abrió con rapidez el cierre de la bolsa de deportes, pero se trabó con un hilo suelto y la bolsa se quedó a medio abrir. Jen sintió pánico y tiró del cierre con todas sus fuerzas. Muy pronto alguien se daría cuenta de que Tommy bromeaba con lo de la rata y regresaría de nuevo por ahí.

Finalmente el cierre se desatascó. Tiró a un lado la toalla blanca y agarró el asa del enorme trofeo de oro, levantándolo hasta el estante en mitad del armario. Luego empujó con cuidado la puerta de cristal para cerrarla. Con la toalla de Zeke acomodada sobre el brazo, se colgó la bolsa por encima del hombro y suspiró aliviada. Pero ese alivio le duró solamente un segundo porque se dio cuenta de las huellas dactilares que había en la superficie brillante del trofeo. ¡Y muchas de esas huellas eran suyas! Si la policía las examinaba...

Miró de un lado a otro para comprobar que el vestíbulo siguiera vacío, abrió la vitrina y frotó la copa con la toalla de Zeke hasta que desaparecieron todas las huellas. Cerró de nuevo las puertas de cristal. Ahora ya se podía relajar.

De repente, una poderosa mano la agarró del hombro.

Jen dio un salto.

—¿Qué estás haciendo? —preguntó una voz severa de mujer.

6

La capitana de
El Fantasma

Jen se volteó. El corazón le latía con fuerza. Una mujer baja y fornida la miraba de mala manera. Unas gafas de sol de montura de plástico negro descansaban sobre su cabello castaño que estaba recogido en una cola de caballo. Tenía la nariz cubierta con una crema solar amarilla, aunque el resto de la cara parecía estar bronceada y arrugada.

—¿Pero qué estás haciendo? —le preguntó la mujer.

—Yo... yo —Jen tartamudeó—. Estaba quitándole el polvo al trofeo.

La mujer miró la toalla con recelo.

—¿No es este el trofeo que había desaparecido?

—Sí —dijo Jen mientras trataba de localizar a Tommy. Algunas personas salían de la cantina y hablaban sobre la horrible broma de la rata—. Pero alguien lo ha encontrado, ¿no es estupendo?

El ceño fruncido de la señora desapareció.

—Sí, es estupendo —dijo ella, aparentemente aliviada—. Me alegra tanto que lo hayan devuelto sin dañarlo.

Jen miró a la mujer con curiosidad. No era de Mystic, de eso estaba segura. Pero ¿por qué se preocuparía tanto una persona de fuera por el trofeo de la ciudad?

—Espero que ahora el capitán Till ponga una cerradura en esta vitrina —continuó diciendo la señora con su voz áspera.

—¿Conoce al capitán Till? —le preguntó Jen mientras se dirigía hacia las puertas de salida del club del puerto. No quería estar allí cuando todos vieran la copa de oro en su lugar y empezaran a hacerse preguntas.

La mujer sonrió y le extendió la mano mientras caminaban.

—Me llamo Sally Silver y soy la capitana de *El Fantasma*.

Jen se detuvo. *¿El Fantasma?* Se dio cuenta de que daba la impresión de ser maleducada y se apresuró a estrechar la mano callosa y fuerte de la capitana Silver. Después salieron y, tan pronto como estuvieron fuera, la mujer se bajó las gafas para protegerse los ojos.

—¿Has oído hablar de mi velero? —preguntó con satisfacción.

—¡Oh, sí! —dijo Jen efusivamente—. Ha llegado hoy, ¿verdad?

—Esto... Eso es —contestó la capitana Silver.

—He visto su barco anclado en el puerto. ¿Por qué no lo ancla en los embarcaderos con los otros? Hay suficiente espacio —añadió Jen, indicándole con un gesto el espacio vacío.

La mujer se encogió de hombros.

—Nos gusta la privacidad, eso es todo —dijo. Detrás de sus gafas de sol, parecía estar examinando los múltiples sombreros de paja que iban y venían del club hasta el estacionamiento.

Jen reaccionó rápidamente y le dijo:

—Su barco es precioso. ¿Podría subir a bordo y verlo de cerca?

—Me temo que no —dijo la capitana Silver—. Solamente se le permite subir a bordo a la tripulación. Lo entiendes, ¿verdad?

—Supongo que sí —dijo Jen, intentando no parecer decepcionada.

Con una ligera sonrisa, la capitana Silver se despidió y se alejó rápidamente. Jen miró a la mujer hasta que desapareció entre la multitud. ¿Qué tenía *El*

Fantasma de especial que impidiera echarle una miradita? ¿Intentaba la capitana ocultar algo?

Reflexionando sobre esto, se acercó distraídamente al agua. Aunque a ella no le agradaba salir a navegar, sí le gustaba fijarse en las elegantes líneas de un velero.

Una voz fuerte atrajo su atención y apartó sus pensamientos de la grandeza de un velero en alta mar. A la izquierda, hacia el final del embarcadero uno, alcanzó a ver a Peter Dickey, uno de los miembros de la tripulación del *Viento Regio*. Reconoció al detestable joven de la regata de Newport del año anterior. Con sus errores, que él llamaba *bromas*, estuvo a punto de provocar un incendio en un barco y casi ahoga a uno de sus compañeros de tripulación. Jen había visto a Peter los dos últimos días, pero había estado intentando evitarlo.

La multitud que estaba cerca del *Viento Regio* se dispersó, y Jen dio un gruñido al ver a Stacey con su cuaderno de apuntes anotando todo lo que le decía Peter. Jen corrió hasta su amiga, pero antes de que pudiera decirle algo, Peter elevó todavía más el tono de voz:

—Eso es, este viejo cascarón va a ganar la regata de este año —dijo, dando una palmadita en el casco azul oscuro del *Viento Regio*—. Con mi ayuda, por supuesto —agregó, echándole un guiño ridículo a Stacey.

Jen se mordió la lengua y agarró del brazo a su mejor amiga para llevársela del embarcadero.

—No pierdas el tiempo escuchándolo —le dijo.

—¿Por qué no? —preguntó Stacey mientras metía su cuaderno de apuntes en el bolsillo trasero de sus pantalones cortos—. Estoy haciendo un artículo para el periódico de la escuela.

—Porque lo único que hace es alardear. Además, yo tengo noticias más importantes. —Los ojos de su amiga se encendieron y Jen agregó con rapidez—: Pero esto no lo puedes poner en el periódico.

Entonces le contó que Zeke había encontrado el trofeo de oro en su taquilla *cerrada* y que ella lo había devuelto a la vitrina con ayuda de Tommy.

—¡Ah! —dijo Stacey— ¿Estás segura de que no puedo poner esa noticia en el periódico?

Jen levantó una ceja.

Stacey levantó las manos en señal de derrota.

—¡Está bien, está bien! ¿Dónde está Tommy ahora?

Jen miró para todos lados. A Tommy no se lo veía por ningún sitio y ella se sentía culpable.

—No lo sé, pero debe de estar bien, ¿no crees?

—A menos que el capitán Till lo haya puesto en el calabozo —dijo Stacey—, por lo del susto de la rata.

—¡Oh! Espero que no.

Stacey se echó a reír.

—Es sólo una broma.

Jen sonrió, pero seguía preocupada por Tommy. Él les había hecho un gran favor a ella y a Zeke y esperaba que no estuviese metido en ningún lío.

—Al menos nadie te vio devolviendo el trofeo —comentó Stacey mientras las dos paseaban por el camino que bordeaba el puerto deportivo.

Jen se detuvo y puso una mano en el brazo de su amiga.

—¡Sí, me vio alguien! Y eso es lo raro, que la capitana de *El Fantasma* se apareciera de repente detrás de mí, justo después de que yo devolviera el trofeo, aunque no hizo nada al respecto.

—¿Qué es *El Fantasma*?

Jen buscó una mejor posición para que su amiga pudiera ver claramente todo el puerto.

—Allí, ¿lo ves? —dijo, y señaló el barco que tenía los delfines tallados emergiendo de la proa. Esperó a que Stacey asintiera, y agregó—: ¡Se parece al barco que Zeke creyó ver anoche en el Triángulo de Poseidón!

—¡Qué mascarón de proa más increíble! —dijo Stacey, protegiéndose los ojos del sol para verlo mejor.

—De cerca es incluso más bonito. De hecho,

quería hacer una visita al barco, pero la capitana me dijo que no, definitivamente que no, que de ninguna manera. No entiendo por qué la capitana Silver es tan reservada con respecto al barco.

Stacey sonrió burlonamente y, bajando el tono de voz, le dijo:

—Quizás porque el barco es en realidad un fantasma.

Jen no pudo evitar que un escalofrío le recorriera la espalda al oír esas palabras. Sabía que era una tontería, pero ¿por qué había pensado ella lo mismo?

Los misteriosos seis

—Quiero echarle otro vistazo a *El Fantasma* —dijo Jen mientras caminaban—. Podemos alquilar una lancha. Tú sabes pilotar una, ¿verdad?

—Por supuesto —dijo Stacey—. Pero ¿qué es lo que buscamos?

Jen se mordió el labio.

—No lo sé exactamente —admitió—. Pero tengo un extraño presentimiento.

—Como tú digas—. Stacey se dirigió a la caseta de alquiler donde se le permitía a los miembros del club firmar el registro para sacar veleros, kayacs, lanchas y otros vehículos acuáticos.

—Después de que hayamos examinado *El Fantasma*, iremos a las calas —dijo Jen.

Stacey la interrumpió con un gesto de la mano y le

indicó que había un enorme velero amarrado en el tercer embarcadero.

—Es el barco más bonito de todos los que están aquí.

A Jen no le quedó otra opción que estar de acuerdo. El *Rakassa* era un velero de dos mástiles de veinticinco metros. No sabía mucho de barcos de vela, pero sabía que este era muy especial, no sólo por lo elegante, sino porque Zeke no dejaba de hablar de él desde que llegó a la Bahía de Mystic, hacía ya varias semanas.

—Es muy bonito, ¿verdad? —preguntó una voz al lado de ellas.

Jen se dio la vuelta para ver quién les había hablado. Reconoció de inmediato a Joe, el capitán del *Rakassa*. Unos días antes, Zeke se lo había señalado. Además, era difícil pasar por alto su cabeza calva y su camisa hawaiana de flores brillantes.

—Es el barco más bonito que hay aquí —dijo Jen.

—¿Quieren subir a verlo? —les preguntó el capitán.

—Por supuesto —dijo Stacey mientras saltaba al embarcadero a través de la puerta de metal. Jen la seguía de cerca.

El capitán saltó con agilidad a bordo.

—Esta hermosura está hecha de madera de teca y

es lo suficientemente sólida y pesada como para soportar las tormentas más violentas. Ya no se hacen cosas como esta —dijo el capitán con orgullo.

—¿Participará en la regata? —preguntó Jen.

El capitán se echó a reír.

—No, señorita. Este viejo cascarón es demasiado grande y pesado para competir con esos pequeños mequetrefes.

—La verdad es que parece mucho más grande —dijo Jen, y observó los otros veleros amarrados a lo largo del embarcadero.

—Y muy pesado. Aunque tirara todo el mobiliario y la mitad de la cubierta por la borda, seguiría siendo demasiado pesado para esta regata. Cuanto más ligero sea el barco, más rápido navega.

—Es precioso aunque sea grueso y pesado —dijo Stacey con una sonrisita.

—¿Quieren subir para echar un vistazo? —preguntó el capitán mientras señalaba la parte de arriba del mástil más alto.

—Oh, no gracias —dijo Stacey—. En realidad no me gustan las alturas.

El capitán se encogió de hombros:

—Entonces vengan debajo de la cubierta y vean los camarotes —y diciendo esto las llevó abajo por unas escalerillas y les enseñó el salón y la pequeña cocina donde se preparaba la comida. Luego las bajó por otras escaleras—. Esto es un camarote. Aquí pueden dormir cuatro. La otra parte es igual.

Jen le echó una mirada a la diminuta habitación. Las dos literas parecían bastante estrechas, con barandillas a los lados. Un pequeño ojo de buey estaba abierto y dejaba entrar un aire refrescante y salado.

Luego el capitán les enseñó el pequeño baño, diciéndoles que era muy importante conservar el agua dulce a pesar de tener un aparato en la sala de máquinas que convertía el agua salada en agua dulce.

—Y este es el camarote principal —dijo el capitán, abriendo de golpe las puertas de dos hojas al final del estrecho pasillo.

Jen y Stacey se quedaron boquiabiertas. ¡Parecía casi tan amplio como la habitación de Jen en el faro! Había una enorme cama situada contra una pared, algunos ojos de buey que dejaban entrar la luz natural, un sofá y dos sillones ubicados alrededor de una mesa para tomar café, además de su propio baño, ¡que tenía jacuzzi!

—¡Estupendo! —exclamó Stacey—. ¡No me importaría navegar en este barco siempre que pudiera quedarme aquí!

El capitán se echó a reír.

—Me temo que este es el camarote del propietario, que, por suerte, ¡soy yo!

Todavía riéndose, el capitán las llevó a la cubierta.

—¡Con este viejo cascarón he navegado hacia el sur hasta el Cabo de Hornos, hacia el este hasta las islas griegas, hacia el oeste hasta Hawái y hacia el norte hasta Mystic, Maine!

—Y no cabe duda de que Mystic es el mejor lugar, ¿verdad? —le preguntó Stacey con una sonrisa burlona.

—Tú lo has dicho.

Jen pasó la mano por la barandilla. Era suave. Le dio un golpe y pudo oír el ruido sordo de la madera sólida.

—Gracias por permitirnos visitarlo —dijo Stacey mientras volvía al embarcadero de un salto.

—Es un barco precioso —agregó Jen. El capitán le ofreció una mano para ayudarla a bajar.

—Muchísimas gracias. Vuelvan cuando quieran —dijo Joe.

Jen y Stacey se despidieron y fueron a la caseta de alquiler, donde firmaron el registro de la lancha y de los chalecos salvavidas. Por suerte, Stacey sabía cómo encender el motor. Jen se sentó en la parte delantera de la lancha de goma y se agarró al cabo, al igual que hiciera con Zeke.

Stacey dirigió la lancha hacia *El Fantasma* con pericia.

—Es casi tan bonito como el *Rakassa* —gritó por encima del estruendo del motor.

—Aunque no es tan grande —contestó Jen. Un movimiento en la cubierta le llamó la atención. Entrecerró los ojos por el viento que le soplaba en la cara y recorrió el barco con la mirada de un extremo al otro. No lo podía creer.

Agitando la mano, le hizo una señal a Stacey para que aminorara la velocidad.

—¿Ves a la gente que está a bordo? —dijo cuando el motor dejó de hacer ruido.

Stacey miró y un momento más tarde contestó:

—Sí, los veo, ¿y qué?

Jen frunció la boca.

—Hay seis personas y ninguna es la capitana Silver.

—No entiendo —dijo Stacey encogiéndose de hombros.

—Si incluimos al capitán, solamente puede haber *cinco* personas en la tripulación que participará en la regata. ¿Quiénes son las otras personas?

—¿Podrían ser amigos?

Jen negó con la cabeza.

—No lo creo. La capitana Silver dijo que sólo se le permitía subir a bordo a la tripulación.

Stacey aceleró.

—Vayamos hacia las calas antes de que crean que estamos fisgoneando. A lo mejor nos acusan de ser espías del equipo de Mystic e intentan que el *Estrella Polar* quede descalificado.

Jen asintió, pero tan pronto como la lancha viró en dirección sur, logró ver una figura familiar encorvada que estaba de pie al lado del mástil. Estiró el cuello para poder ver mejor, pero el hombre encorvado se perdió de vista. ¿Era el mismo hombre que ella y Zeke habían visto la noche anterior? ¿Qué hacía en *El Fantasma*? Sin duda él no era un miembro de la tripulación, ¿verdad?

—¡Hola, amiguitas! —dijo una voz cuando la lancha se dirigía rauda hacia las calas.

Jen miró a su izquierda y se sorprendió al ver a la capitana Sally Silver pasar zumbando al lado de ellas en una lancha más pequeña. La mujer les hizo una señal para que aminoraran la velocidad. Jen y Stacey se miraron. No había nada de malo en escuchar lo que la capitana quería decirles. A lo mejor quería invitarlas a bordo de *El Fantasma*.

—Acabo de oír que al norte hay una tormenta —gritó la capitana Silver—. Es peligroso navegar por ahí. Será mejor que regresen.

Jen se estremeció. El último lugar en el que ella quisiera estar era en medio de una tormenta en una lancha. ¡De ninguna manera! Y aunque el cielo parecía estar perfectamente despejado, ella sabía lo rápido que el mal tiempo podía aparecer en el Atlántico.

—Regresemos —le dijo Jen a Stacey.

Stacey giró el motor para que la lancha diera la vuelta completamente. La capitana Silver hizo lo mismo. No obstante, antes de dirigirse de vuelta al puerto deportivo, Stacey le dijo en voz alta a la capitana:

—El *Fantasma* es un barco muy bonito. Me encanta su mascarón de proa.

La capitana Silver asintió y sonrió.

—¿Podríamos visitarlo? —continuó diciendo Stacey.

La sonrisa de la capitana Silver pareció disiparse.

—Soy reportera del periódico de mi escuela y estoy escribiendo un artículo sobre esta regata. Van a aparecer algunos de los barcos.

—Me temo que eso es imposible —dijo la capitana, ajustándose de nuevo las gafas de sol en la nariz—, ya que sólo autorizo a la tripulación a subir. Me entiendes, ¿verdad? Hay una enorme cantidad de dinero en juego en esta regata.

—Eso es verdad —dijo Stacey.

Jen sabía que su amiga estaba presionando a la capitana no sólo por lo del periódico sino porque Stacey sabía que Jen quería echarle un vistazo al barco. Aunque no había servido para nada, Jen se lo agradeció a Stacey en silencio. Por alguna razón, la capitana Silver quería que todo el mundo se mantuviera alejado de *El Fantasma*, exceptuando, claro está, a las seis personas misteriosas que ella acababa de ver a bordo.

—Acabamos de ver a su tripulación a bordo —dijo Jen—. Se me ha olvidado, ¿cuántos forman un equipo?

—Cinco por barco —contestó la capitana Silver—, yo y otros cuatro.

Jen se mordió los labios para evitar decir algo con respecto a las *seis* personas que acababa de ver a bordo. Por fortuna, Stacey también permaneció callada y, en vez de hablar, encendió el motor y la lancha hizo un repentino movimiento hacia adelante. Jen casi sale disparada para atrás, pero logró agarrarse del cabo en el último instante.

La travesía fue movida, como si la tormenta estuviera acercándose, aunque el cielo todavía parecía despejado. Jen se tranquilizó a medida que se acercaron al embarcadero, pero esa sensación de tranquilidad se disipó al ver que Zeke, Tommy y los otros chicos que competían por el puesto en la tripulación estaban cerca del *Estrella Polar*. Supo de inmediato que su hermano se hallaba en problemas.

¿Descubierto
el bromista?

Zeke apretó los puños:

—Yo no lo hice —insistía.

Liz lo miraba con los ojos entrecerrados. Tenía los brazos cruzados y una sonrisita en los labios.

—Tú fuiste el encargado de guardar anoche los chalecos salvavidas y ahora no están. ¿Quién más pudo haberlo hecho?

—No lo sé —dijo Zeke. Jen y Stacey se apresuraron a llegar a su lado. Luego Zeke se dio la vuelta hacia el otro chico de la tripulación—. A menos que tú, Chris, sepas algo al respecto.

Los ojos del chico más bajito se abrieron de par en par.

—¿Yo? De ninguna manera. Yo...

—Chris —lo interrumpió Zeke—, sé que has estado tramando algo.

—No tienes ninguna prueba —dijo Chris acaloradamente.

Zeke negó con la cabeza. Detestaba tener que hacer esto pero si no se enfrentaba al auténtico culpable, lo culparían a él de todas las "bromas" y probablemente lo echarían de la tripulación.

—¿Por qué crees que Chris es el culpable? —preguntó Tommy, acercándose un poco más.

Zeke se dio la vuelta hacia su mejor amigo.

—Al principio no tenía idea de quién había podido robar el trofeo de oro y ponerlo en mi taquilla para que yo pareciera ser el culpable.

Liz y Clara dieron un grito al mismo tiempo:

—¿Tú tenías el trofeo? —preguntó Clara con su habitual voz baja, esta vez llena de ira.

—¡No! —exclamó Zeke contrariado—. Bueno, supongo que sí, pero no sabía que lo tenía. Alguien lo puso en mi taquilla. —Y nuevamente se dio la vuelta para mirar a Chris—. ¡Lo hiciste tú!

Chris abrió la boca, pero no dijo nada.

—Eres el único que pudo poner el trofeo en mi taquilla en los vestuarios de hombres. Hay demasiada gente como para que una chica se cuele en ellos sin que la pillen. Y tú has estado tanto tiempo conmigo que deduje que eras el único que pudo haber visto la combinación del candado de mi taquilla.

—No es cierto —dijo Chris, y dio un paso hacia atrás—. Eso no es verdad. Yo... yo...

Su voz se fue apagando mientras Zeke seguía mirándolo. Chris entonces miró hacia las tablas de madera sobre las que estaba parado con sus zapatos náuticos azules.

—Tienes razón —admitió en un susurro apenas perceptible—. Lo hice yo.

—También hiciste la llamada falsa a Tommy. Y robaste los apuntes de mi mochila y humedeciste los cabos en agua salada y luego les hiciste nudos, y ahora estás ocultando los...

—¡No! —exclamó Chris indignado—. Es verdad que llamé a la casa de Tommy y que me llevé tus apuntes para que no pudieras estudiar. Quería que mi examen fuera mejor que el de Liz y Clara. También robé el trofeo por si acaso el examen no me salía perfecto, pero ni até los cabos ni oculté los chalecos salvavidas. Tienes que creerme.

Liz gruñó:

—¡Vaya broma, enano idiota! ¡Todos me miraban mal a mí y eras tú el culpable desde el primer momento!

Clara se echó a un lado mientras los ojos se le agrandaban detrás de las gafas.

Zeke no dijo nada. Aunque Chris parecía sincero,

¿cómo podía confiar en él después de que admitiera haber hecho todo eso?

En ese instante, una mujer con gafas de sol y la nariz cubierta con crema solar verde se acercó:

—¿Hay algún problema? —preguntó con seriedad.

—Hola, capitana Silver —dijo Jen, luego se volteó hacia Zeke—. Es la capitana de *El Fantasma*.

Zeke examinó a la mujer más de cerca. La verdad es que parecía normal y nada había de siniestro o fantasmal en ella.

—¡Hola! —dijo—. Estamos tratando de averiguar lo que les sucedió a los chalecos salvavidas que han desaparecido.

La capitana Silver puso mala cara.

—¿Se los robó alguien?

—Están aquí —gritó Liz desde la cubierta del *Estrella Polar*—. Alguien los guardó en otro armario.

Zeke le lanzó una mirada a Chris, pero el chico parecía tan sorprendido como todos.

—Menos mal —dijo la capitana Silver mientras sacaba crema protectora del bolsillo de su impermeable para ponerse un poco más en la nariz—. No queremos problemas, ¿no?

—Creo que todo va a ir bien de ahora en adelante —dijo Zeke.

—Estupendo —y sin decir nada más, la capitana Silver se dirigió rauda hacia su lancha.

—Me pregunto por qué se preocupa —dijo Jen.

—Sólo quería ayudarnos —dijo Zeke—. Después de todo, aunque seamos contrincantes, seguimos siendo marineros.

Jen se echó a reír.

—Parece que estás dando un discurso en una ceremonia de entrega de premios.

—Y lo estará —dijo el capitán Morgan mientras se acercaba con un montón de papeles que le revoloteaban en la mano—. Zeke, vas a ser miembro de la tripulación. Has obtenido la nota más alta en el examen escrito y tus destrezas en la navegación son excepcionales.

—¡Bravo, Zeke! —gritó Tommy entusiasmado al tiempo que le daba una palmada en la espalda.

—Tenemos que contarle lo que hizo Chris —dijo Zeke—, para que te den otra oportunidad, Tommy.

Tommy negó con la cabeza:

—No te preocupes. Yo nunca habría podido hacer el examen escrito como tú lo has hecho.

—¿Qué pasa con Chris? —preguntó el capitán Morgan mientras buscaba una respuesta en las caras de los chicos.

Finalmente, Chris habló en voz alta.

—Yo se lo contaré todo, señor.

Zeke y los otros dejaron solos a Chris y al capitán.

—¡Estaba seguro de que formarías parte del equipo! —dijo Jen—. ¿Crees que fue Chris el que movió los chalecos de lugar y el que hizo los nudos en los cabos?

—No lo admitió, pero ¿quién más puede tener algún motivo? —preguntó Zeke. Los hermanos gemelos habían resuelto ya suficientes misterios y sabían que cuando alguien hacía algo, siempre tenía una razón o algún motivo para hacerlo.

Jen negó con la cabeza.

—¿Pero por qué iba a decir la verdad sobre algunas cosas y seguir mintiendo sobre otras?

Mientras Jen hablaba, Zeke pensaba en todas las cosas que tenía que hacer para prepararse para la gran regata. Tendría que comprarse un par de zapatos náuticos nuevos, una camiseta azul del *Estrella Polar* y un par de pantalones cortos blancos. El capitán Morgan le había dicho que quería que toda la tripulación estuviera lista, de modo que Zeke tenía que apresurarse si quería tener todo listo antes de la práctica que empezaba en cuarenta y cinco minutos.

—Jen, tengo que irme —dijo.

—¿No te interesa el misterio? —preguntó Jen.

—¿De qué hablas? El misterio ya lo he resuelto, y Chris se declaró culpable.

—¿Y qué me dices de todas las cosas que no admitió? ¿Y de *El Fantasma*? ¿Por qué la capitana Silver no permite que nadie suba a bordo con excepción de su tripulación? ¿Y quién es ese tipo encorvado? ¿Y...?

Zeke la interrumpió nuevamente.

—No lo sé y ahora mismo no puedo pensar en ello. Nos vemos más tarde —y diciendo eso, salió corriendo hacia el lugar donde había dejado su bici aparcada.

Una hora más tarde, Zeke movió los dedos de los pies dentro de sus nuevos zapatos náuticos. Se sentía como un miembro oficial de la tripulación. Ahora estaban fuera de la Bahía de Mystic, en dirección sur, como sucedería en la gran regata. Le encantaba el ondulante movimiento de las olas mientras las gaviotas volaban por encima de ellos en el cielo azul, casi como si estuvieran compitiendo contra el *Estrella Polar*.

Los miembros adultos de la tripulación le dieron la bienvenida y lo felicitaron por haber conseguido el puesto juvenil.

—Es estupendo tenerte en el equipo —dijo Jane,

dándole una palmadita en la espalda—. Según dice tu tía Bee, eres el mejor marinero de Mystic y... muy responsable.

Zeke se ruborizó. Tía Bee siempre andaba diciendo cosas de ese tipo sobre él y Jen.

Ahora, con el viento inflando las velas y el sol acercándose al final de su trayectoria en el cielo, Zeke se sentía muy bien. Había conseguido formar parte de la tripulación y había sacado a la luz el complot en su contra. Aun así, una pequeña duda no lo dejaba tranquilo: ¿Qué pasaría si Jen tenía razón? ¿Qué pasaría si Chris no era responsable de las otras bromas? ¿Qué pasaba con *El Fantasma*? Había estado tan seguro de haber visto un barco igual desaparecer en el Triángulo de Poseidón... ¿Fue simplemente un banco de delfines o un barco? ¿Había en realidad algo siniestro en una capitana a la que no le gustaban los visitantes?

Negó con la cabeza y sonrió para sí mismo. ¡Ahora era él quien se estaba dejando llevar, igual que Jen!

Cuando el capitán Morgan dio una orden a gritos, Zeke se cuadró, concentrándose en su trabajo y olvidándose de sus preocupaciones. Agarró la escota, listo para tirar de ella, pero de repente se le escurrió de entre los dedos.

¡Un monstruo marino!

—¡Cuidado! —gritó el capitán Morgan—. ¿Qué sucede, Zeke? ¡Tira de ella, tira de ella!

Durante unos instantes todo fue un caos. Uno de los miembros de la tripulación se apresuró a echarle una mano a Zeke. Hasta que todo estuvo asegurado no pudo preguntarse qué era lo que había fallado. Estaba haciendo lo que se suponía que tenía que hacer y, un momento más tarde, el cabo comenzó a escurrírsele de la mano izquierda como si fuera líquido. ¿Quién había puesto mal la escota? ¿Era otra de las bromas de Chris?

Ahora que la conmoción se había ido disipando, se miró la mano. El cabo le había quemado la palma. La tenía enrojecida y dolorida. La fricción llegó a levantarle la piel un poco, y le costaba estirar los dedos.

—¿Estás bien? —le preguntó en voz alta el capitán Morgan.

Zeke asintió, metiéndose la mano lastimada en el bolsillo. No quería que lo echaran de la tripulación por una simple quemadura producida por un cabo.

—No podemos cometer errores de este tipo durante la regata —le advirtió el capitán con una mirada dura en la cara.

Zeke tragó saliva.

—No, señor —contestó. Sabía que no le haría ningún bien echarle la culpa a nadie. Tendría que llegar al fondo de esto antes de la regata. Si el sábado ocurría un desastre como este, perderían, ¡y toda la culpa sería suya!

El cielo parecía tinta negra cuando Jen terminó el entrenamiento de fútbol. Había estado tan concentrada en la regata que casi se había olvidado del entrenamiento. Ahora estaba cansada y lista para probar los famosos platos de tía Bee.

Se echó la mochila a la espalda y se montó en la bici. Mientras pedaleaba y saludaba a las otras niñas del equipo, a Jen le volvió a la cabeza el barco fantasma que Zeke había visto. Si pudiera encontrar alguna pista que explicara lo que pudo haber sido...

Aunque estaba cansada, se dirigió hacia el puerto. Un último vistazo no vendría mal.

Cuando llegó al puerto deportivo, la luna salía por detrás de los árboles. Bordeó la costa lentamente, continuó por el camino y se alejó del club del puerto. Estaba a punto de dirigirse a la pensión cuando le llamó la atención una luz tenue. Detuvo la bici en la oscuridad y miró hacia el mar. Durante un momento de suspenso contuvo la respiración. Muy a lo lejos, en el otro extremo de la Bahía de Mystic, podía divisar el perfil de un barco que parecía flotar por encima de las aguas y que se dirigía a toda velocidad hacia los acantilados.

Dio vuelta a la bici y volvió al puerto deportivo. Tiró la bici cerca de la puerta de entrada y entró corriendo a la pequeña sala de vigilancia.

—¡Un barco! —gritó—. Creo que acaba de estrellarse un barco contra los acantilados del sur.

El Sr. Rollon se inclinó hacia adelante para apoyarse en la mesa y se cruzó de brazos.

—¿Cómo estás, Jen?

—No, de verdad, lo he visto. Apúrese, ¡tenemos que ir a ayudarlos!

El Sr. Rollon asintió, pero ni se movió.

—No he oído ninguna llamada de socorro. Estoy

seguro de que ha sido tu imaginación o probablemente fue la luz de la luna brillando en el agua.

—Quizás no les dio tiempo de mandar un SOS —alegó Jen.

Dando un suspiro, el Sr. Rollon se alejó de la mesa y encendió la radio. Llamó a todas las frecuencias abiertas y preguntó si alguien estaba en peligro o si habían divisado algún accidente en los acantilados del sur. Lo único que se oyó por los altavoces fue una sucesión de negativas que resonaron como un cotorreo.

—¿Ves? —dijo el Sr. Rollon, volviendo a su posición anterior—. Ha sido simplemente la luz de la luna que te ha engañado.

Jen frunció el ceño. Quizás fue solamente eso, pero parecía un velero. Un barco fantasma.

—¡Listo! —dijo tía Bee, pegando con cinta adhesiva el extremo de la gasa—. El aceite de áloe y de árbol de té harán maravillas en esa quemadura —le aseguró a Zeke.

Jen se estremeció al ver la mano enrojecida de su hermano. Todavía no habían tenido la oportunidad de hablar del accidente, pero conocía a Zeke lo suficiente como para saber que algo así no había sido por su culpa. Por supuesto que había accidentes, pero cuando Zeke salía a navegar tenía mucho cuidado, demasiado como para cometer torpezas de ese tipo. Sin duda algo más estaba sucediendo, ¡justo como ella había sospechado! Y se moría de ganas por contarle a su hermano lo del barco fantasma que había visto.

—¡Vamos! Juguemos al *Scrabble* en el salón —dijo Jen—, a menos que necesites ayuda.

Tía Bee los despidió:

—No, no. Cuando estoy así de ocupada, a veces es más fácil que yo misma lo haga todo. Supongo que han puesto toallas limpias en la Habitación de las Rosas.

Jen asintió. Ella y Zeke ayudaban a la tía Bee en la pensión, ya fuera subiendo el equipaje de los huéspedes, limpiando las habitaciones (todas tenían nombres de flores), ayudando a veces con las comidas o finalizando algunos trabajitos.

—Entonces pueden marcharse, pero no se acuesten demasiado tarde. Recuerden que mañana tienen clases y que por la noche vamos a estar muy ocupados.

Jen sonrió burlonamente. El viernes por la noche tía Bee ofrecía una cena antes de la regata. El comedor estaría atestado de gente; no sólo porque la regata era un gran acontecimiento sino porque todos en Mystic sabían que tía Bee era la mejor cocinera de la zona. De hecho, habría tanta gente que ella había contratado a algunas mujeres de la ciudad para que la ayudaran en la cocina y en el servicio. Aunque ya eran más de las ocho, el detective Wilson, el oficial de policía retirado que siempre estaba dispuesto a echar una mano, estaba colgando las luces festivas en el alero del tejado.

Tía Bee se dirigió a la cocina mientras su larga trenza canosa se bamboleaba de un lado al otro. Jen y Zeke fueron al salón. Slinky los siguió y se acomodó entre las patas gigantes de Woofer, el perro pastor. El gato ronroneó y acarició la nariz de Woofer hasta que el perro se despertó y comenzó a lamerlo.

Jen abrió el tablero de *Scrabble* pero no podía concentrarse. Tan pronto como pudo, le contó a Zeke lo sucedido en el paseo que había dado con Stacey esa misma tarde.

—¿Estás segura de haber visto a seis personas a bordo? —le preguntó Zeke mientras formaba la palabra APENAS en el tablero.

—Totalmente. Estoy también segura de que divisé al mismo hombre encorvado que vimos moviéndose a hurtadillas anoche cerca del *Estrella Polar*. De hecho —añadió pensativamente— ¡también lo vi el lunes bajando por la carretera de la costa!

—Pero *El Fantasma* no llegó hasta hoy —dijo Zeke— así que, ¿cómo puede ser miembro de la tripulación de la capitana Silver?

Jen dio un golpecito con el índice en la mesa.

—¡Eso es exactamente lo que yo quisiera saber! —dijo, echándose hacia adelante—. Y eso ni siquiera es lo más raro.

Zeke podía adivinar que su hermana tenía noticias más importantes que darle.

—¿Qué es?

Jen le contó lo del misterioso barco que había visto esa misma noche antes de volver a casa.

—Pero cuando el Sr. Rollon llamó por radio a los barcos, ¡ninguno había tenido problemas!

—Entonces, ¿cómo se explica?

—Pues esa es la cuestión —dijo Jen con urgencia—. No lo sé, pero tenemos que llegar al fondo de esto de alguna forma.

✓

El viernes después de la escuela, Zeke bajó tan rápido como pudo al puerto deportivo. El capitán Morgan esperaba que lo ayudara en los preparativos finales del barco.

La primera tarea de Zeke fue retocar la pintura del mástil principal. Usando un cabestrante, el capitán izó a Zeke, que iba con un pequeño cubo de pintura y una brocha, hasta lo alto del mástil.

—Grítame cuando quieras que te baje —le gritó el capitán Morgan.

Zeke miró hacia abajo. Lo único que lo sujetaba allí arriba en lo alto era un cabo. Sentía intensamente cada movimiento del barco. Si se soltaba del mástil, estaba seguro de que el balanceo lo haría volar por los aires.

Tragó saliva. Hacer esto no le divertía mucho, pero era parte de su trabajo como miembro de la tripulación y lo haría. Tras respirar hondo varias veces, el corazón comenzó a tomar su ritmo normal y se le enfrió el sudor de la nuca.

Se agarró firmemente al mástil con su mano herida e intentó relajarse y mirar alrededor. El agua parecía encontrarse muy lejos. Desde allí, tenía una estupenda vista del puerto deportivo e incluso podía ver bastante bien la parte antigua de Mystic. En los embarcaderos la gente trajinaba en los otros barcos, pero lo mejor era mirar el Atlántico, más allá del puerto. En la distancia, las velas blancas parecían puntos de azúcar en un gran pastel azul. Después, se fijó en las elegantes líneas de *El Fantasma,* que seguía anclado en la Bahía de Mystic.

—Va a ser muy difícil ganarle —se dijo a sí mismo. Hasta ahora, ninguno de los otros barcos le preocupaba mucho, pero *El Fantasma* era nuevo en la regata y parecía muy rápido, aunque no entendía por qué la tripulación no había salido a hacer ninguna prueba en él. De hecho, no los había visto hacer ningún entrenamiento, y en aquel momento la cubierta parecía estar desierta.

Se encogió de hombros. Lo que la capitana Silver mandara hacer o no a su tripulación no era de su incumbencia. Cuanto más rápido retocara la pintura en el mástil, más rápido pondría los pies sobre la cubierta. Una ráfaga de viento sopló y el extremo del mástil se balanceó de un lado a otro. Decidió comenzar a pintar.

Zeke dio un suspiro de alivio cuando acabó y el capitán Morgan lo bajó lentamente del mástil.

—Muchacho, ¡has hecho un trabajo estupendo! —le dijo el capitán—. Ni por todo el oro del mundo habría subido allí, te lo aseguro.

Zeke sonrió abiertamente. Ese comentario hizo que se sintiera muy bien.

—¿Algo más, patrón? —le preguntó, usando el simpático término con que el resto de la tripulación se dirigía al capitán.

—¿Te gusta nadar? —le preguntó el capitán Morgan mientras le echaba una pícara sonrisa.

—Sí —dijo Zeke, sin estar seguro de si esa era la mejor respuesta que podía darle. Primero, pintar el mástil. Y ahora, ¿qué?

—¡Magnífico! Aquí tienes una careta, un esnórquel y unas patas de rana —dijo el capitán, y le entregó a Zeke una bolsa de malla repleta de artículos—. Quiero que raspes el casco. No debe de estar

muy mal, pero cuanto más limpio esté, más rápido
navegará.

Zeke se cambió y se puso el traje de baño, deseando tener a mano su traje de buzo. Se zambulló por el
otro extremo de la cubierta, y al contacto con el agua
fría se le cortó la respiración.

—No te pongas entre el barco y el embarcadero —le advirtió el capitán, que se había inclinado para verlo.

Zeke asintió con la cabeza, tratando de que no le castañetearan los dientes. Se puso la careta y se ajustó el esnórquel. Sostuvo la espátula plana en la mano derecha, tomó aire y se sumergió. Usando las patas de rana, se impulsó hacia el fondo para poder llegar a la parte inferior del casco. Le pareció que estaba totalmente limpio, pero no tenía la más mínima intención de decirle eso al capitán Morgan. ¡Lo siguiente que haría sería ponerlo a limpiar el pantoque!

Zeke exhaló aire. Los pulmones llenos de aire actuaban como un chaleco salvavidas, y lo hacían subir. Con cuidado, para no verse aplastado entre el barco y el embarcadero, Zeke fue limpiando el casco, raspando todo aquello que remotamente le pareciera verde. Cada vez que necesitaba aire, subía a la superficie.

De repente, le llamó la atención algo que se movía unos metros más allá. Pensó que se le paraba el corazón. Los tiburones no merodeaban por allí, ¿no?

Salió disparado a la superficie, tomó unas bocanadas de aire y se dio cuenta de que se había dejado llevar por el pánico. No había monstruos marinos, ¿verdad?

Tomó aire nuevamente y se zambulló para explorar las turbias profundidades del puerto. Quería encontrar lo que había visto. ¡Allí! Una oscura sombra le llamó la atención. Zeke miró detenidamente. No era un monstruo marino, ni siquiera un tiburón. Era un hombre vestido con un traje de buzo, con tanques de oxígeno, careta y patas de rana. El buzo llevaba algo en la mano izquierda. El objeto brillaba cada vez que la luz del sol atravesaba las profundidades.

Con desconfianza, Zeke siguió al hombre desde arriba, cerca de la superficie. De esta forma podía salir a tomar aire mientras nadaba. Cuando el buzo extendió una mano para ver el indicador de su tanque de oxígeno, Zeke consiguió ver mejor el objeto: ¡un taladro de mano! El trozo de metal brilló y Zeke se dio cuenta en ese instante de que el hombre iba a hacer un agujero en el casco, ¡en el casco del *Estrella Polar*!

Comenzó a mover sus piernas furiosamente, intentando impulsarse hacia el fondo. Estiró la mano, pero justo en ese momento el buzo se volteó en el agua. Ahora se encontraban cara a cara, pero lo único que Zeke podía ver del hombre eran los ojos, extrañamente deformados detrás de la careta. Zeke trató de agarrar el taladro pero no lo consiguió. Cuando estaba a punto de intentarlo de nuevo, el buzo lo agarró de repente del brazo y se lo llevó hacia el fondo.

10

El soborno

Zeke peleaba por escaparse. Intentó soltar el brazo de un tirón, pero el buzo lo agarraba fuertemente de la muñeca. Zeke se volteó. ¡Si no salía a la superficie de inmediato, se quedaría sin oxígeno!

En un último intento desesperado, Zeke soltó la espátula y con la mano libre agarró la careta del buzo y tiró de ella. Empezaron a salir burbujas que nublaron el agua. Estaba seguro de haberle quitado la careta al agresor, pero todavía no podía verle bien la cara.

Sin aire en los pulmones y con puntos blancos bailándole delante de los ojos, Zeke se liberó de su captor. Salió disparado hacia arriba como un cohete y cuando salió a la superficie, se quitó la careta y respiró con desesperación.

—¿Has acabado de raspar? —le preguntó una voz desde arriba.

Zeke intentaba recuperar el aliento y flotar en el agua al mismo tiempo. Levantó los ojos para ver al capitán Morgan.

—Sí, pero se me cayó la espátula y no la pude recuperar.

El capitán frunció el ceño.

—Compraré una nueva para reponerla —añadió Zeke con rapidez.

—Está bien —dijo el capitán. Parecía como si estuviera a punto de añadir algo, pero en vez hacerlo frunció nuevamente el ceño y negó con la cabeza.

Con el ánimo por los suelos, Zeke no supo qué decir. De cualquier manera daba igual porque el capitán ya no estaba asomado al borde del barco. Zeke dio un golpe en el agua. ¡No era justo! Primero, Chris lo había metido en problemas y ahora este buzo loco. Si no tenía cuidado, lo echarían de la tripulación, aunque quizás si lograba encontrar al misterioso buzo podría explicarle al capitán Morgan lo que realmente había sucedido. No quería contarle al capitán sobre el encontronazo con otro fantasma.

Trepó hasta el barco sin dejar de mirar alrededor para ver si el misterioso buzo había salido a la superficie. Pero no había ningún indicio del agresor y Zeke ni siquiera había conseguido verle la cara con claridad. ¿Cómo podría reconocerlo?

Después de secarse y preguntarle al capitán Morgan si había algo más que hacer, Zeke se bajó del *Estrella Polar* y se apresuró a llegar al soporte donde se aparcaban las bicis. De un salto montó sobre la suya y volvió a la pensión. Sabía que tía Bee necesitaría ayuda esa noche.

En efecto, tan pronto como entró en la cocina, Jen le dijo:

—Ya era hora de que llegaras. Ayúdame a doblar estas servilletas.

Zeke se quitó la mochila y se sentó a la mesa de la cocina que estaba cubierta con un mantel con diseños de abejas. Mientras doblaba las servilletas azules, le contó a Jen sobre la aventura bajo el agua.

Ella lo miraba con los ojos abiertos mientras su hermano le describía el ataque y la imposibilidad de ver la cara de su agresor.

—¿Crees que *él* te reconoció? —le preguntó ella.

A Zeke se le cayó el alma al suelo, ya que ni siquiera había pensado en esa posibilidad. Había estado tan ocupado en buscar al buzo que no se había dado cuenta de que si él lo reconocía y lo encontraba primero, podría enfrentarse a un problema tremendo: el hombre evitaría estar cerca de alguien que lo hubiera visto buceando bajo los veleros con un taladro en la mano.

—No lo creo —dijo Zeke—, porque yo llevaba la careta y el esnórquel en la boca.

Jen frunció el ceño.

—No cabe duda de que esta vez no ha sido Chris. Alguien más está intentando sabotear la regata. Apuesto lo que quieras a que esto tiene algo que ver con ese hombre encorvado y *El Fantasma*.

—No veo cómo —dijo Zeke—. El tipo que estaba debajo del agua era sin dudas más joven y tenía la espalda recta como un palo.

—Ya veremos —dijo Jen encogiéndose de hombros—. Esta tarde he visto a *El Fantasma* entrenando. Parece muy bueno.

Zeke dejó a medio doblar la penúltima servilleta.

—¿Lo viste? Yo vi a *El Fantasma* anclado en la bahía.

Jen se mostró sorprendida.

—Si ambos lo vimos al mismo tiempo, quizás *sea* en realidad un barco fantasma.

En ese instante, tía Bee entró apresuradamente en la cocina y Zeke no tuvo oportunidad de responder al comentario de Jen. De hecho, no tuvieron ninguna otra oportunidad de hablar en privado hasta la cena porque tía Bee tenía un montón de tareas para ellos. Los ayudantes que ella había contratado habían invadido la cocina y asumido el control de la misma, y antes de que los hermanos gemelos se dieran cuenta, habían comenzado a llegar los invitados al banquete.

Zeke se tuvo que sentar a la cabeza de la mesa con el resto de la tripulación del *Estrella Polar*, el capitán Morgan, el capitán Till y algunos miembros de la junta directiva del puerto deportivo de Mystic. La mayoría de los comensales de su mesa ya estaban de pie en la cola del buffet, sirviéndose comida en los platos. Zeke ya se había servido ensalada y un poco de sopa, dejando algo de espacio para la carne asada que vendría después. Se tiró del ajustado cuello de la camisa. Le importaba menos sentarse a la cabeza de la mesa que la ropa ajustada que tía Bee le había planchado e insistido que usara. Nuevamente se tiró de la camisa, metiéndose el dedo índice en el cuello. Con un repentino ruido, el botón de arriba de su camisa se zafó, rebotó en la mesa y cayó al suelo.

A Zeke se le puso la cara roja como un tomate. Se agachó para buscar el botón y pasó los dedos por el suelo de madera. Lo tenía justo debajo del meñique derecho cuando oyó que el capitán Till se sentaba en la silla al lado de la suya.

—¡Vamos, Billy, aligera la carga un poco! —dijo—. Eso hará que el *Estrella Polar* corra como una estrella fugaz, y cuando ganes, quizás recibas alguna ganancia extra.

El capitán Morgan dijo:

—Sabes que no puedo hacer eso. Nos han inspeccionado a todos para la regata de mañana. Tratar de que el barco sea más ligero para que navegue más rápido es hacer trampa.

Zeke levantó la cabeza y casi se da contra la mesa. El capitán Till lo miró sorprendido.

—Así que me has oído, ¿eh? —dijo—. Bueno, no me puedes culpar por querer ganar de nuevo este año la regata, ¿verdad? Claro que el capitán Morgan es demasiado honesto como para hacer algo así.

Zeke le echó una mirada al capitán del *Estrella Polar*, que tenía puestos los ojos en su sopa de almejas. El capitán Till se encogió de hombros, se dio la vuelta hacia la persona de su derecha y comenzó a charlar sobre el buen tiempo que habían estado teniendo. Zeke no podía creer que el jefe del puerto deportivo se comportara tan tranquilamente después de intentar sobornar al capitán Morgan para que hiciera trampa. ¿A qué más podría recurrir el capitán Till para conseguir la victoria?

Zeke sintió un escalofrío por la espalda. ¿Enviaría a algún buzo a hacerle un agujero al casco del barco rival? Después de todo, quizás el buzo no iba tras el *Estrella Polar*.

Zeke observó al capitán Till mientras tomaba su

sopa. El viejo se parecía tanto a Santa Claus que era casi imposible pensar que pudiera hacer algo fraudulento, pero Zeke acababa de escucharlo con sus propios oídos.

—¿Por qué estás diciendo que no con la cabeza? —le preguntó Jen por encima de su hombro—. ¿Has encontrado un pelo en la sopa?

Zeke le echó una mirada y le dijo:

—Ya te lo contaré más tarde—. Se dio cuenta de que ella había entendido que no debía hacerle preguntas en ese instante.

Jen asintió.

—¿Has encontrado a quien estabas buscando?

Zeke recorrió el comedor con la vista. Era imposible. ¿Cómo iba a poder reconocer al buzo? Fue entonces cuando le llamó la atención una cara, la de Peter, el repugnante miembro de la tripulación del *Viento Regio*, que estaba sentado en una mesa cercana a la ventana. Cuando se dio la vuelta, Zeke vio a Peter con una venda en la mejilla y se lo comentó a Jen:

—Quizás le hiciste un arañazo cuando le quitaste la careta —le susurró Jen.

Zeke hizo un gesto afirmativo, pues eso era exactamente lo que estaba pensando.

—Pero no lo podré probar —dijo Zeke, recordando lo enojado que se había puesto Peter el año anterior cuando el barco de Mystic ganó y echó por tierra la larga racha de victorias de Newport. Peter había jurado vengarse, pero nadie lo tomó en serio—. Confío en que no intente hacer nada más. Podría salirse con la suya.

—Pero si era él el que estaba bajo el agua —dijo Jen—, y el que hizo las otras bromas que Chris negó haber hecho, ¿qué tiene que ver todo eso con *El Fantasma*?

—No lo sé —dijo Zeke—, pero los dos vimos algo como un barco fantasma en el mar, y han estado sucediendo cosas raras con *El Fantasma*.

—¿Crees que tienen alguna relación? —preguntó Jen.

Zeke no pudo contestarle porque en ese instante el capitán Till se levantó para hacer un anuncio y Jen se apresuró a volver a su asiento.

11

Un desastre a medianoche

Jen estaba mirando por la ventana de su habitación. Vivir en el faro le permitía tener una vista perfecta de la Bahía de Mystic. Aunque era medianoche, la luna casi llena emitía suficiente luz como para dar a la bahía un resplandor reluciente que dejaba ver los perfiles borrosos de los veleros que estaban en el embarcadero. Pero no había suficiente luz como para verlo todo claramente, que era lo que ella realmente quería. Necesitaba saber lo que estaba sucediendo en Mystic antes de la regata que comenzaba por la mañana.

"Sólo hay una cosa que puedo hacer", pensó.

Jen se cambió el pijama con rapidez y se puso unos *jeans* negros y un suéter azul oscuro. También se puso una gorra de béisbol de los New York Mets. Bajó la visera hasta los ojos para que no la reconocieran.

Caminó de puntillas y sin hacer ruido, se dirigió por las escaleras circulares al museo del faro de la segunda planta, cruzó sigilosamente el vestíbulo y salió por la puerta de la cocina.

Se montó en la bici, encendió la luz y bajó por el camino empinado que llevaba al faro. Jen tiritaba con el aire fresco, aunque no sabía si era de frío o de miedo.

—Ahora ya no voy a regresar —se dijo. Tenía que revisar el *Estrella Polar* y comprobar que todo estuviera bien. ¡La vida de Zeke dependía de ello!

Jen pedaleó lo más rápido posible por el antiguo camino maderero, atravesó la ciudad y llegó al puerto deportivo. Cuando se aproximaba a los embarcaderos, apagó la luz de su bici y se apeó para caminar por las sombras hasta los pinos que había cerca del estacionamiento. Pisó con sigilo el lecho de agujas de pino y dejó la bici inclinada contra el menos visible de los troncos.

Había algunas luces en los embarcaderos, pero la mayoría de los barcos estaban a oscuras. Todos estaban descansando para la gran regata del día siguiente. Jen se aproximó lentamente. La calma reinaba. Sólo se movían los barcos con el vaivén del agua y los cabos sueltos, a los que debía llamar drizas según Zeke, vibraban con la brisa.

Lejos de los embarcaderos, el agua parecía oscura. Los barcos anclados en la bahía solamente tenían una luz encendida en la punta del mástil para advertir a los otros barcos de su posición. Dentro de los camarotes no se veía ninguna luz.

Jen se sentía un poco ridícula por preocuparse tanto. Se acercó a uno de los embarcaderos para ver mejor al *Estrella Polar*. Todo parecía estar bien.

De repente, el viento llevó hasta ella un murmullo de voces, pero Jen no podía ubicar de dónde provenía. "Da igual", pensó. No cabía duda de que alguien estaba despierto a estas horas. De lo único que tenía que preocuparse era del *Estrella Polar*, que se encontraba allí, hermoso y tranquilo como siempre, justo donde se suponía que tenía que estar.

Pero, ¡un momento! Jen se quedó sin aire cuando se dio cuenta de que el *Estrella Polar* no estaba exactamente donde se suponía que debía estar. ¡Se estaba yendo a la deriva! Estaba desamarrado e iba a estrellarse contra el embarcadero o, lo que era peor, ¡contra otro barco!

Antes de que Jen comenzara a correr hacia el *Estrella Polar*, otra figura salió como una flecha de entre las sombras. El hombre encorvado bajó disparado por el embarcadero. ¿Pudo él haber desamarrado el

Estrella Polar? De ser así, Jen estaba segura de que estaría planeando algo peor ahora que el barco estaba suelto.

¡Tenía que detenerlo! Salió corriendo a toda velocidad justo en el momento en que se oyeron algunas voces alarmadas. Decidió ocultarse agachada tras la caseta de alquiler y permanecer allí. El capitán Till y la capitana Silver se dirigieron corriendo hacia el barco, mientras Peter apareció por el lado opuesto con la venda brillándole en la mejilla. Los cuatro, incluido el hombre encorvado, usaron los bicheros que se dejaban en los embarcaderos para detener el velero antes de que dañara a otros barcos o se rayara. Todos lanzaban gruñidos y hacían señas en voz baja, hasta que lograron acercar el barco lo suficiente como para que Peter pudiera saltar a bordo.

—¡Han cortado las amarras! —dijo Peter en voz baja.

A Jen el ánimo se le cayó al suelo. *¡Así que esto no era un accidente!*

Peter agarró rápidamente un cabo nuevo y amarró el barco firmemente para que no se pudiera ir a la deriva. Cuando acabó, se bajó del *Estrella Polar*.

—Me pregunto quién habrá hecho esto —dijo.

Jen apretó los dientes. "Probablemente tú", pensó

ella. De repente, se dio cuenta de que el hombre encorvado había desaparecido. Examinó la zona pero no vio a nadie.

—Creo que no deberíamos decirle nada a nadie —dijo la capitana Silver en voz baja.

Jen se dio la vuelta para poder escuchar mejor y golpeó con la visera de su gorra la caseta de alquiler. La gorra salió por el aire y cayó lejos de su alcance, bajo un círculo de luz que proyectaba una de las lámparas. No se atrevió a recogerla. Afortunadamente, nadie pareció darse cuenta.

—Podría estropear las fiestas —continuó diciendo la capitana Silver—. Además, ya se han inspeccionado todos los barcos para la regata. Si esto se hace público, los oficiales querrán hacer otra inspección y eso pospondría la salida.

El capitán Till asintió.

—También se cuestionaría la seguridad del puerto deportivo de Mystic si este desastre frustrado se hace público. Podría ser fatal.

Después de comprobar que los cabos estaban bien amarrados, los dos se dirigieron de vuelta al club. Jen se movió un poco, sin apartarse de las sombras para evitar que la vieran.

Tan pronto como se alejaron, Jen se relajó, aunque sólo por un instante. El crujido de una tabla justo detrás de ella casi la mata del susto. Se dio la vuelta rápidamente y en silencio. Peter estaba de pie a no más de dos metros de distancia, mirando hacia el club del puerto deportivo y al estacionamiento.

Jen permaneció inmóvil. Peter no la vio. Jen se ocultó aun más en las sombras del edificio y vio que Peter se dirigía a las sombras, como si él también quisiera permanecer oculto. Se movía sigilosamente, buscando algo o a alguien.

El corazón de Jen comenzó a latir con fuerza cuando Peter divisó su gorra de béisbol en el suelo. La recogió y examinó el emblema de los Mets de la parte delantera. Jen esperaba que él la mirara directamente y la acusara de sabotear el *Estrella Polar*, pero él aún no la había visto.

Jen no se movió y Peter se alejó con la gorra de béisbol metida en su bolsillo trasero. El muchacho se acercó más al estacionamiento y a los árboles que tapaban la bici de Jen. Jen lo siguió sin hacer ruido, manteniendo cierta distancia. Dejó escapar un suspiro de alivio cuando él no vio su bici. En vez de eso, le dio la vuelta a todo el club. En cierto modo, Jen esperaba que él fuera a recuperar el cuchillo que había usado para cortar los cabos del *Estrella Polar*, pero no se detuvo. ¿Qué estaba haciendo? ¿A quién estaba buscando? ¿Desconfiaba él también del hombre encorvado?

Después de darle una vuelta completa al edificio, Peter se encontró de nuevo cerca del estacionamiento. Miró detenidamente debajo de los pinos. Jen contuvo el aliento. ¿Vería esta vez su bici? Y de hacerlo, ¿seguiría buscando hasta encontrarla a ella también?

12

Por fin a bordo

Con la gorra de Jen todavía metida en el bolsillo, Peter Dickey echó un último vistazo por la zona, se dirigió de vuelta al *Viento Regio* y subió a bordo de un salto.

Al fin. Jen respiró aliviada. Peter había encontrado su gorra, pero por suerte no la había visto a ella. Si se daba prisa, en treinta minutos podría estar en casa y en la cama. Eso parecía muy tentador, sólo que entonces le vino otra idea.

Junto al último embarcadero, Jen advirtió la lancha de la capitana Sally Silver. Obviamente, ella estaba todavía en tierra hablando con el capitán Till. Y también debía de estar por algún sitio el hombre encorvado, o de lo contrario ella habría oído el ruido de un motor huyendo. Miró detenidamente a los embarcaderos y vio que las luces de *El Fantasma* seguían apagadas. ¿Habría alguien a bordo?

Con el corazón latiéndole a toda prisa, Jen fue hasta donde se encontraban amarrados los botes de remos del club. No sabía cómo manejar una lancha, pero sí sabía remar, así que se puso un chaleco salvavidas, se subió a uno de los barcos de aluminio, desamarró el cabo y se empujó para alejarse del embarcadero. Puestos los remos en su lugar, Jen dirigió la proa hacia el mar y comenzó a remar.

Cuando ya estaba a medio camino de *El Fantasma*, Jen se sintió tan cansada que creyó que se le saldrían los hombros. No recordaba que remar le hubiera parecido tan difícil como ahora. Esto no parecía una aventura sino un castigo. El sudor le caía por la frente. Miró hacia atrás: parecía que el velero se encontraba a kilómetros de distancia, pero si lo dejaba ahora, nunca más tendría una oportunidad como esta para subir a bordo.

Encorvó los hombros y siguió remando.

Finalmente llegó a *El Fantasma*, pero continuó remando hasta llegar al otro extremo, a la parte que no se veía desde el puerto deportivo. La única forma de subir al barco era mediante la endeble escalera de cuerda que colgaba desde la cubierta y que casi llegaba hasta el agua. Se paró en el bote con el cabo en la

mano derecha para no irse a la deriva, extendió la otra
y agarró la escalera de cuerda. Por suerte, todas esas
horas jugando al fútbol la habían hecho fuerte. De lo
contrario, habría caído al agua.

Sin soltar el cabo del bote, subió por la escalera y
se desplomó sobre la cubierta. Si había alguien a
bordo, sin duda habría oído el ruido. Lo único que
rompía el silencio, sin embargo, era su respiración
constante y el golpe suave de las olas contra el casco.

Jen ató el cabo del bote a uno de los postes de la
barandilla, ya que volver nadando hasta la orilla no
era precisamente la mejor de las opciones. Por fin podría echar un vistazo adentro de *El Fantasma*. La luz
en la parte superior del mástil y la luna le daban suficiente visibilidad para merodear por la cubierta.

Comparado al *Estrella Polar*, este barco estaba
bastante desordenado. Los cabos no estaban bien en-
rollados ni tampoco estaban guardados los chalecos
salvavidas, y había varias latas de refresco vacías que
rodaban de un lado a otro con cada vaivén del barco.
Jen hubiera creído que la capitana Silver mantendría
el barco más ordenado.

Se abrió camino hasta llegar a la proa. Además del
aspecto descuidado, lo que el capitán Morgan nunca
permitiría, Jen no vio nada sospechoso. En realidad,
no parecía un barco fantasma. La cubierta era sólida,

al igual que lo era el mástil que Jen golpeó al pasar. Estiró la mano para acariciar los delfines tallados que formaban el mascarón de proa y pudo sentir que la madera era muy suave al tacto y sólida como la barandilla de teca del elegante *Rakassa*.

¡Había estado tan segura de que en este barco había algo sospechoso! Decepcionada, estaba a punto de abrir la puerta del camarote cuando sintió una vibración apenas perceptible. ¡Era un motor! ¡Y se estaba acercando!

Presa del pánico, supo exactamente lo que pasaba: ¡la capitana Silver regresaba en su lancha!.

Jen bajó por la escalera de cuerda y cayó en el bote, produciendo un chapoteo que le puso los nervios de punta. Temblando, soltó el nudo que con tanto cuidado había atado, se sentó y enganchó los remos. Tiró de ellos sin hacer ruido y se alejó de *El Fantasma* remando tan rápido como le fue posible, aliviada de encontrarse en la otra punta del velero y sin posibilidad de que la vieran.

A medida que el sonido del motor perdía intensidad, Jen se sintió segura y se dirigió hacia los embarcaderos. El bote de metal chocó contra el embarcadero y ella se dio cuenta de que todavía se escuchaba el ruido de un motor en la distancia. No cabía duda de que la lancha tendría que haber llegado ya a *El Fantasma*. ¿O quizás, después de todo, no había sido la capitana Silver? No, la lancha de la capitana no estaba amarrada en su lugar habitual, por lo que no cabía duda de que *era* la capitana Silver la que iba en la lancha de motor, pero ¿por qué no había vuelto a *El Fantasma*?

Demasiado cansada para poder entender todo este rompecabezas, Jen amarró el bote y se apresuró a volver a su bici. Estaba nerviosa de que la pudieran pillar y no se relajó hasta que estuvo acostada en su cama, sana y salva. Ya para entonces se encontraba demasiado cansada y no pudo hacer otra cosa que cerrar los ojos y dormirse.

A la mañana siguiente, sonó el despertador y parecía que hubiera dormido solamente cinco minutos en vez de tres o cuatro horas. Se sintió tentada a darse la vuelta en la cama y volver a dormir, pero logró levantarse con un gran esfuerzo. No podía perderse el comienzo de la regata. Hoy era el gran día de Zeke.

Cuando bajó al puerto deportivo, una multitud ocupaba los puentes y los embarcaderos mientras los barcos se preparaban para dirigirse a los puntos de partida.

El soporte donde ella aparcaba su bici estaba lleno, por lo que la puso cerca de un banco, junto a otras bicicletas. Acababa de poner en el suelo el pie de apoyo cuando sintió una comezón en el cuello. Miró a su alrededor con inquietud y casi se cae de espaldas del susto cuando vio que Peter Dickey la miraba sin parpadear. Sus ojos estaban fijos en la bici de Jen. Ella siguió su mirada, que parecía haberse detenido en un llavero de los New York Mets que colgaba de su manillar y que revoloteaba con la brisa.

Cuando Jen volvió a mirar, Peter había desaparecido. Trató de digerir el nudo que se le había hecho en la garganta. ¿Sabía Peter que ella había estado ahí la noche anterior y que la gorra de béisbol que él había encontrado era suya? ¿Habría pensado él que ella lo había visto soltar al *Estrella Polar*? ¿Intentaría hacerle daño para que no dijera nada?

13

¿Un fantasma auténtico?

Zeke escudriñó los embarcaderos en busca de Jen y tía Bee. Divisó a su tía con el detective Wilson. Ellos lo saludaron y él les devolvió el saludo mientras el *Estrella Polar* se dirigía a motor hacia el punto de partida. En el último instante, Zeke vio que Jen había levantado los pulgares para desearle suerte.

Después se dio la vuelta y echó una mirada a la entrada de la bahía donde comenzaría la regata. Flexionó los dedos y se sorprendió de ver que la mano que se había quemado con el cabo había sanado. Agradeció en silencio a tía Bee y sus remedios caseros.

Un segundo más tarde, el capitán Morgan dio las órdenes. La regata estaba a punto de empezar.

Zeke sentía un cosquilleo de emoción en su interior. ¡No podía creer que fuera parte de la tripulación!

Pero si sucedía algo malo, estaba seguro de que lo culparían a él.

—Nada va a salir mal —decía muy bajito—. ¡Nada!

Tan pronto como comenzó la regata, Zeke no descansó ni un segundo. Le llovían las órdenes: que amarrara esto, que soltara aquello, que tirara de aquí y que empujara allá. Apenas tuvo oportunidad de darse cuenta de que iban en primer lugar cuando vio que el *Viento Regio* los seguía de cerca. ¡Y tan cerca! No obstante, muy lejos en la distancia, vio a *El Fantasma*. Era evidente que la tripulación de ese barco tenía problemas. Eran los últimos.

Por fin comenzó a relajarse. Incluso con el *Viento Regio* pegado a la popa, sus hombros comenzaban a librarse de la tensión. Por lo menos no tenían que preocuparse de *El Fantasma*. Sabía que las tripulaciones del resto de los barcos habían estado preocupadas por la elegante nave, pero con tal desventaja nadie tenía por qué preocuparse ya de ella. Ahora lo único que tenía que hacer era concentrarse en seguir las órdenes y mantenerse por delante de su único y verdadero rival: el *Viento Regio*.

Sintiéndose más segura ahora que Peter estaba con su barco en el mar, Jen siguió mirando hasta que el último velero desapareció más allá de la punta sur de la bahía. *El Fantasma* había salido mal y estaba muy atrás cuando el resto de los barcos se perdieron de vista.

—Ahora lo único que tenemos que hacer es esperar a que regresen —dijo Stacey—. Podemos participar de los juegos detrás del club. ¿Vienes?

Jen negó con la cabeza y se despidió de Stacey distraídamente mientras se marchaba.

—Ahora no. Le he prometido a tía Bee que la ayudaría en la pensión.

¿Cómo le podría explicar incluso a su mejor amiga que estaba preocupada de que Zeke estuviera en el *Estrella Polar*? Stacey le diría que se preocupaba sin razón, pero Jen sabía que algo no andaba bien.

Durante toda la mañana, Jen ayudó a tía Bee a limpiar la pensión y a preparar el almuerzo para los invitados. Mientras trabajaba, repasaba las pistas en su cabeza. Algo raro sucedía, de eso estaba segura, pero ¿qué era? Por la tarde, cuando su tía le dio permiso para bajar al puerto deportivo a esperar el final de la regata, Jen se subió a su bici, cruzó la ciudad y llegó al sendero que recorría los acantilados del sur. No habían inspeccionado el sitio de la fogata en Cala Escondida. "¿Podría ser aquello una pista importante?", se preguntaba. Por si acaso, tenía que investigarlo.

Para hacerlo, tuvo que bajarse de la bici muchas veces y empujarla por un sendero empinado y desigual, porque entre sus planes del día no estaba despeñarse por el acantilado.

Para bajar a cada cala había un sendero peligroso que llevaba a una playa rocosa o directamente al agua. A pesar de las fuertes corrientes, era más fácil meterse en las calas en barco que subir por el sendero. Y el regreso era incluso peor.

Cuando alcanzó el punto vigía de Cala Escondida, el cielo se había vuelto rosado con la puesta de sol. Las sombras se alejaron de los acantilados y del denso bosque, enfriando el aire. Jen esperaba ver una cala oscura y vacía; ahora que había logrado llegar hasta allí, pensaba que estaba perdiendo el tiempo. ¿Qué pistas podría recoger de una antigua fogata que estaba tan abajo?

Jen sostuvo la bici en equilibrio a su lado y miró hacia abajo, hacia la cala. Le llevó un par de segundos reaccionar. No estaba viendo una playa rocosa ni una pequeña ensenada vacía. La playa rocosa todavía permanecía ahí como una media luna oscura, pero la ensenada no estaba vacía. ¡*El Fantasma* estaba anclado en medio de la misma!

Jen no podía dar crédito a sus ojos. ¿Qué es lo que estaba haciendo ahí abajo cuando debería estar en la

regata? ¿Tenía tantos problemas que se tuvo que detener para que lo arreglaran? ¿O las corrientes lo habían desviado de su curso? O... negó con la cabeza. Nada de eso tenía sentido.

Lo primero que le dijo su instinto era que tenía que descender por el sendero para ver el barco más de cerca, puesto que desde allí no podía adivinar si había o no alguien en la cubierta. Creyó divisar la sombra de una figura encorvada, pero no estaba segura.

Tan pronto como examinó el camino que bajaba a la playa, consideró la idea. Incluso si conseguía bajar allí sin caer rodando, jamás podría hacer el camino de regreso. Lo único que podía hacer era ir a buscar a Stacey y a Tommy. Quizás ellos podrían sacar una lancha para investigar la cala y averiguar por qué *El Fantasma* estaba anclado ahí en vez de estar en la regata.

Corrió tan rápido como pudo, dándose golpes y sacudidas por el sendero desnivelado. Cuando alcanzó el terreno suave y finalmente el camino, suspiró aliviada.

Tan pronto como llegó al puerto deportivo, Jen aparcó la bici y continuó a pie. Los espectadores hablaban de la regata y hacían apuestas sobre qué barco entraría primero. Jen pasó corriendo y comenzó a buscar a Stacey y a Tommy. Por fin los encontró, al lado de la caseta de perros calientes, por supuesto.

Stacey la vio a ella primero.

—¿Qué pasa? —le preguntó.

Jen recuperó el aliento.

—¡*El Fantasma*! ¡Está en Cala Escondida!

Stacey comenzó a decirle algo. Entonces miró por encima del hombro de Jen y dijo:

—No puede ser. ¡Ahí viene *El Fantasma*!

Jen se dio la vuelta. Stacey tenía razón. A toda vela y con las últimas luces, *El Fantasma* entraba en la bahía, deslizándose hacia ellos como si fuera una nube. Detrás de él llegaba el *Estrella Polar*.

A Jen se le cayó el alma al suelo. No había ganado el barco de Zeke. Se metió entre los entusiastas que a toda prisa se dirigían a los embarcaderos. *El Fantasma* aminoró la marcha, viró y echó el ancla lejos de la costa como lo había hecho antes. El *Estrella Polar*, no obstante, recogió las velas y con el motor emitiendo resoplidos, se dirigió al embarcadero.

Tan pronto como estuvo amarrado, el capitán Till felicitó a la tripulación, pero todos podían ver que el capitán estaba triste.

—Hicieron todo lo posible —continuó diciendo el capitán Till—, y eso es lo más importante.

—Mejor hubiera sido ganar —añadió Zeke entre dientes. Solamente Jen pudo oírlo.

Jen le dio un apretón en el brazo. Todos en Mystic

tenían tantos deseos de que ganaran, que llegar en segunda posición fue una gran decepción.

—No puedo creer que *El Fantasma* les diera alcance y los sobrepasara —dijo Tommy—. ¿Qué ha pasado?

Zeke explicó que *El Fantasma* había tenido problemas al comienzo de la regata y que lo habían perdido de vista, pero que a mitad de la competencia fue divisado en la distancia. Comenzó a alcanzarlos y a sobrepasar a todos los otros barcos hasta estar empatado con el *Estrella Polar* en el primer lugar. Al final, entró en primer lugar.

—El *Viento Regio* no ha entrado todavía —comentó Stacey, que llevaba en su cuaderno la cuenta de todos los barcos que llegaban.

Jen miró a la bahía. Si el *Viento Regio* había tenido algún problema serio, habrían avisado a la Guardia Costera.

—¿Quizás se han perdido? El Atlántico es bastante grande.

—Voy a averiguarlo —dijo Stacey, y se marchó deprisa para conseguir la información.

—¡Qué periodista! —dijo Tommy—, pero me parece que voy a ir con ella—. Y la siguió.

Jen se echó a reír. Sabía que la única razón por la

que Tommy seguía a su mejor amiga era porque él quería estar allí si había alguna noticia de algún gran desastre. Tommy siempre quería estar metido en cualquier cosa que fuera emocionante, siempre y cuando, desde luego, no significara perderse una comida.

Zeke y Jen caminaron entre la multitud y encontraron un banco vacío donde sentarse. Jen le contó a Zeke lo ocurrido la noche anterior y lo que había visto no hacía mucho en Cala Escondida.

—¿Qué significa todo esto? —preguntó Jen al terminar su narración—. El barco que vi se parecía a *El Fantasma*. O era realmente un barco fantasma o...

—O son imaginaciones tuyas —la interrumpió Zeke echándose hacia atrás.

Jen le lanzó una mirada hostil a su hermano. Zeke levantó las manos y se echó a reír.

—Está bien —dijo—. No son imaginaciones tuyas. Ni tampoco lo fueron los barcos fantasmas que vimos en el Triángulo de Poseidón o estrellándose contra los acantilados. Así pues, es obvio que algo extraño está ocurriendo.

—*Es obvio* —repitió Jen—. Pero ¿qué? ¿Y quién está involucrado?

—¿Cómo puede estar un velero en dos lugares al mismo tiempo? No cabe duda de que *El Fantasma* estuvo durante las últimas tres horas detrás de nosotros —agregó Zeke—. Y, ¿quién estuvo intentando sabotear el *Estrella Polar*?

Jen dio un salto para ponerse de pie.

—¡Apúrate!

—¿Adónde vamos? —le preguntó Zeke, siguiéndola.

Jen se dirigió hacia el club.

—Necesitamos papel para hacer fichas de sospechosos. Al menos de esa forma podremos averiguar una parte del misterio...

Faro de Mystic

Ficha de sospechoso

Nombre: El capitán Till

Motivo: Parecía muy seguro de ganar. ¿Estuvo planeando algo?

Pistas: Lo escuchamos intentando sobornar al capitán del Estrella Polar.

¿SERÍA CAPAZ DE HACER CUALQUIER COSA PARA QUE MYSTIC GANARA?

¿Por qué nos advirtió que nos mantuviéramos alejados de las calas del sur?

Faro de Mystic

Ficha de sospechoso

Nombre: Peter Dickey

Motivo: Juró vengarse de Mystic después de haber perdido la regata del año anterior.

Pistas: Es bien conocido por sus "bromas".

¿Fue él quien ató los cabos?

¿Fue él quien escondió los chalecos salvavidas?

¿Fue él quien provocó las quemaduras que Zeke se hizo con el cabo?

¿Estaba él bajo el agua con el equipo de buceo y el taladro? Después tenía una venda en la cara.

¿Fue él quien desamarró el Estrella Polar anoche?

Faro de Mystic

Ficha de sospechoso

Nombre: El hombre encorvado

Motivo: ¿ ?

Pistas: ¿Por qué estuvo todo el tiempo merodeando los barcos?

¿QUÉ TRAMABA? TUVO ALGO QUE VER CON:

¿Los nudos en los cabos?

¿OCULTAR LOS CHALECOS SALVAVIDAS?

¿Provocar las quemaduras que Zeke se hizo con el cabo?

¿FUE ÉL QUIEN DESATÓ EL ESTRELLA POLAR?

¿Pertenece a la tripulación de El Fantasma? De ser así, por qué estuvo aquí tantos días antes de que llegaran los barcos?

¿POR QUÉ FUE CORRIENDO HACIA EL ESTRELLA POLAR Y LUEGO DESAPARECIÓ DESPUÉS DE QUE LO HUBIERAN AMARRADO DE NUEVO?

Faro de Mystic

Ficha de sospechoso

Nombre: La capitana Sally Silver

Motivo: Para ganar la regata y el dinero

Pistas: ¿Vio Zeke realmente a El Fantasma en el Triángulo de Poseidón? De ser así, ¿qué estaba haciendo allí?

La capitana Sally Silver fue muy buena y amable con respecto a cualquier problema que pudiera ocurrir en el puerto deportivo pero se mostró muy brusca cuando Jen le preguntó si podía visitar El Fantasma.

Nada parecía sospechoso en su barco, aunque estaba bastante descuidado, pero ¿por qué no permitía a nadie a bordo excepto a los miembros de su tripulación? Y, ¿por qué vio Jen a seis miembros de la tripulación a bordo?

¿Qué es lo que Jen vio en Cala Escondida justo antes del final de la regata? ¿Era simplemente un barco que se parecía a El Fantasma?

Cuando revisaron la última ficha de sospechosos, Zeke frunció el ceño.

—Para mí no está más claro ahora que antes —admitió.

Jen revisó los papeles.

—La respuesta tiene que estar aquí en algún lugar. Simplemente tenemos que encontrarla.

Nota al lector

¡Has averiguado quién está intentando sabotear la regata? ¿Y qué conexión hay entre *El Fantasma* y todo esto? Jen y Zeke han elaborado unos apuntes bastante buenos sobre los sospechosos, pero se les escaparon algunas pistas importantes. Sin esas pistas, es casi imposible averiguar lo que está pasando.

¡Has llegado tú a alguna conclusión? Tómate tu tiempo. Revisa cuidadosamente tus fichas de sospechosos. Rellénalas con algunos de los detalles que Jen y Zeke pasaron por alto. Cuando creas que tienes la solución, lee el último capítulo para averiguar si Jen y Zeke han reunido todas las piezas para resolver *El misterio del barco fantasma*.

¡Suerte!

Solución

¡Otro misterio resuelto!

Jen y Zeke intentaron resolver las pistas durante todo el camino de vuelta a la pensión. Tenían que cambiarse la ropa y prepararse para la gran celebración de esa noche en el puerto deportivo de Mystic. Cuando llegaron al club, una banda estaba tocando en el césped, los niños pequeños corrían de un lado a otro, los padres bailaban en los embarcaderos y había filas de mesas con comida y bebidas. La gente estaba reunida en grupos y se hablaba con emoción de los fuegos artificiales que iban a iluminar el cielo a las nueve en punto.

—Magnífico —dijo Jen, disfrutando del aire festivo.

Zeke intentó sonreír. Sabía que debía sentirse contento, pero había confiado demasiado en la victoria del *Estrella Polar* tras los problemas que tuvo *El*

Fantasma al comienzo de la regata. Toda la tripulación se había quedado impresionada cuando *El Fantasma* les dio alcance y los pasó. Todavía no lo podían creer.

Jen notó que su hermano estaba triste. Se apartó del baile y se acercó a él.

—Si averiguamos el misterio del barco fantasma quizás puedas sentirte mejor.

—Quizás —dijo él con tristeza.

Jen dio golpecitos con el pie al compás de la música.

—¿Cómo puede estar un barco en dos lugares al mismo tiempo? —se preguntaba en voz alta.

—No puede ser. Es imposible —dijo Zeke.

—Exacto. Creo que hay dos barcos que son casi idénticos.

—Por lo que tú cuentas, los barcos *eran* idénticos —señaló Zeke.

Jen mojó una galletita en la salsa de cangrejo.

—Eso no tiene ningún sentido. ¿Por qué tener dos barcos exactamente iguales? —Se metió la galletita en la boca y luego se relamió. Sabía como la receta de tía Bee. Mientras masticaba, recordó algo que el dueño del *Rakassa* le había dicho, algo referente al peso... los barcos más pesados... la madera sólida... más lentos...

—¡Ya lo tengo! —exclamó Jen.

A Zeke casi se le cae la albóndiga que acababa de

pinchar con un palillo. Consiguió meterse en la boca el bocado picante y dulzón sin que le cayera una gota de salsa en la camisa.

—¡Lo he resuelto! Todos los veleros fueron inspeccionados y pesados el día antes de la regata, ¿no?

Zeke asintió.

—¿Y qué pasa si hay un barco *Fantasma* que cumple la reglamentación con respecto al peso y otro más ligero y rápido que es una copia *idéntica*?

—Eso sería hacer trampa. Nunca podrían ganar.

—A no ser que no los pillen —señaló Jen.

—Esa es la razón por la que aminoraron la marcha al principio de la regata, para aparentar que tenían problemas —dijo Zeke—. Cuando la tripulación se pasó al barco más rápido, fueron dándole alcance a todos hasta sobrepasarlos.

—¡Claro! Ahora tenemos que decírselo al capitán Till.

Zeke alargó una mano para frenar a Jen.

—Todavía no. Si estamos equivocados, parecerá que Mystic no sabe perder. En primer lugar tenemos que comprobar nuestra historia.

—Lo único que tenemos que hacer es ir a Cala Escondida esta noche. Te mostraré el segundo *Fantasma*. Apuesto lo que sea a que fue el barco pesado el que ocultaron en la cala durante la regata.

—Voy a sacar una lancha y nos vemos en el embarcadero —dijo Zeke antes de salir disparado en dirección a la caseta de alquiler.

Jen esperó a Zeke, cerciorándose de que nadie se diera cuenta de lo que estaba haciendo. Si algún miembro de la tripulación de *El Fantasma* los veía, podría sospechar. Finalmente apareció Zeke con la llave del motor. De un salto se subieron a una lancha y se alejaron con toda la rapidez y el sigilo que les fue posible. Zeke no encendió el motor hasta que ya se encontraban muy alejados de los embarcaderos.

El mar estaba picado y había una brisa del norte, como cuando se acerca una tormenta. Jen recordó cuando ella y Stacey habían salido a explorar Cala Escondida y la capitana Silver las detuvo. De repente, se dio cuenta de que la tormenta de la que la capitana les había advertido nunca apareció. ¿Había inventado la capitana Silver esa historia para mantenerlas alejadas de las calas y del barco oculto?

No podía probarlo pero tenía la seguridad de que así era.

Esa noche, no obstante, Jen tenía miedo de la amenaza de una auténtica tormenta. Se agarró firmemente al cabo y se alegró de haberse apretado muy bien el chaleco salvavidas. Una vez que dejaron la bahía, el viento arreció y el mar picado se transformó de repente en grandes olas. Jen se volvió nerviosamente hacia Zeke, pero sólo pudo ver el pálido reflejo de sus dientes. ¡El loco de su hermano estaba sonriendo!

Jen cruzó los dedos para que la lancha no se volcara y, al pasar por el Triángulo de Poseidón, también cruzó los dedos de los pies. ¡Todo este misterio había comenzado allí, y ella confiaba en que acabaría allí!

Cuando Zeke entró en Cala Escondida, Jen dio un suspiro de alivio. El mar ya no daba saltos ni golpeaba el bote de goma. Estaba en calma y era agradable navegar.

Zeke encendió el reflector que había alquilado y fue moviendo el haz de luz por toda la cala. A Jen se le cayó el ánimo a los pies. ¡La cala estaba vacía!

—¿Estás segura de que viste un barco aquí? —le preguntó Zeke mientras iluminaba el agua nuevamente—. Da igual, ya no está aquí. Habría que echar un vistazo en *El Fantasma* que está anclado en la bahía.

Jen se mordió los labios. Prefería regresar a la costa y poner los pies en tierra firme, pero el hecho de que alguien hiciera trampa para ganar la regata la ponía furiosa. Que al *Estrella Polar* de Mystic lo derrotara una tripulación más diestra era una cosa, pero que perdieran debido a unos mentirosos y unos timadores...

—¡Sigamos!

—¿Estás segura? —Zeke le puso la luz en la cara—. Pareces un poco pálida.

—Quítame eso de los ojos y sigamos —ordenó ella levantando las manos.

—Lo siento —dijo Zeke, y aceleró el motor nuevamente.

El mar parecía incluso más encrespado que antes. Jen se alegró de no haber comido casi nada antes de salir. Apretó los dientes y tomó la determinación de no marearse.

Desde la distancia, *El Fantasma* parecía abandonado. Obviamente, la tripulación estaba en la fiesta. ¿Estarían todos, incluida su capitana? Jen esperaba que así fuera.

Zeke se detuvo al lado del barco. La escalera de cuerda colgaba de un lado, tal como Jen la había visto anteriormente. Convencida de que era el mismo barco que había inspeccionado antes, Jen trepó por la escalera y casi se da con la cara en la cubierta. Llevar falda hacía las cosas mucho más difíciles.

Zeke subió a bordo tras de ella.

—¿Ves algo sospechoso? —cuchicheó, a pesar de que se encontraban lejos de la costa. El ruido de la fiesta se extendía por todo el puerto.

—Parece igual —dijo Jen—. Pero alguien lo ha limpiado, porque antes estaba mucho más desordenado.

Los gemelos comenzaron por la popa y avanzaron lentamente hacia la proa del velero. Jen lo miró todo detenidamente, pero nada le parecía que estuviera fuera de lugar o muy diferente a como estaba en su última visita. Alargó la mano y acarició la figura de la proa de los delfines.

Zeke y Jen estaban tan concentrados en encontrar alguna pista que no oyeron un chapoteo en el agua que se acercaba cada vez más. De repente, oyeron una voz que les gritaba:

—¿Qué están haciendo aquí?

Zeke se volteó.

—Agárrenlos —ordenó la voz.

A Zeke lo agarraron por los hombros y lo empujaron. Por poco se cae y, cuando recuperó el equilibrio, se encontró cara a cara con la capitana Silver. Esta vez no parecía muy amigable.

Ella lo miró con el ceño fruncido y le dijo:

—¿Qué se traen entre manos, chicos?

—Simplemente queríamos ver su hermoso barco —dijo Jen. Zeke sintió el temblor en su voz.

—Eso es —añadió Zeke—. A mí me encantan los delfines de su mascarón de proa y quisimos echarles un vistazo.

Jen miró a Zeke y se estremeció. El hombre encorvado lo sujetaba firmemente por los hombros. La capitana Silver se agarraba la parte delantera del chaleco salvavidas.

—¿Creen que soy estúpida? —preguntó la capitana Silver—. Sabía que algo pasaba y decidimos venir remando para sorprenderlos. Ahora les voy a...

—¡Quieta ahí! —ordenó una voz grave.

De repente, Jen recibió un empujón que la hizo volar hasta el agua. Después, unas manos poderosas la subieron a bordo con cuidado, y alguien la envolvió con una enorme manta. Fue entonces cuando reconoció a los capitanes Till y Morgan.

—¿Qué pasa aquí? —preguntó el capitán Till una vez que a Jen le dejaron de tiritar los dientes.

—Eso es lo que yo quisiera saber —replicó la capitana Silver—. Hemos encontrado a estos chicos entrometidos fisgoneando. Han entrado sin ninguna autorización, por lo que pondré una denuncia a las autoridades.

El capitán Till movió la cabeza.

—No lo creo. Bueno, al menos todavía no. Jen, Zeke, ¿por qué no me dicen qué es lo que están haciendo aquí?

Zeke miró al capitán Morgan, que permanecía tan quieto y silencioso como el mascarón de proa de un barco.

—Yo... pensamos que había algo sospechoso en *El Fantasma* —admitió, y se dio cuenta de lo ridículo que debía de sonar eso— puesto que no entendíamos cómo este barco pudo acabar primero tras haber estado en último lugar.

—Porque tenemos experiencia —dijo repentinamente la capitana Silver— y nos merecíamos la victoria.

Jen habló más alto.

—Lo sentimos realmente. Yo quería visitarlo. Supongo que hemos imaginado más cosas de lo que realmente había —y diciendo esto, golpeó el lomo de los delfines por segunda vez. Entonces inclinó la cabeza y tuvo una corazonada: cerró el puño y golpeó el costado de los mamíferos tallados. Un sonido metálico resonó bajo los nudillos. ¡Los delfines estaban huecos!

La capitana Silver tosió y rió nerviosamente.

—Muy bien, no voy a formular cargos contra ustedes, pero debo insistir en que todos se marchen de inmediato.

—Un momento —exclamó Jen, golpeando los delfines nuevamente—. Eran de madera sólida cuando estuve aquí la última vez.

El capitán Till se tocó la barba.

—¿Estuviste a bordo de este barco antes?

Jen se encogió de hombros y dijo que sí:

—Anoche subí a hurtadillas... pero los delfines no estaban huecos. Este debe de ser un barco diferente, uno *más ligero* —añadió, recordando lo que el capitán del *Rakassa* le había dicho con respecto al peso de un barco.

—Para navegar más rápido —agregó Zeke en caso de que el capitán no entendiera lo que Jen quería decir.

En ese instante todos los ojos se dirigieron a la capitana Silver y al hombre encorvado que estaba al lado de ella.

—Todo tiene una explicación —dijo ella.

Nadie contestó.

—Verán —continuó diciendo hasta que su voz se fue apagando y agachó la cabeza.

El capitán Till se dio la vuelta hacia donde estaban los hermanos.

—Creo que cuando consigamos que suban a bordo los inspectores oficiales, veremos que, después de todo, el *Estrella Polar* ganó la competencia.

Zeke no pudo evitar soltar un grito de alegría. Jen también sonrió pero se habría puesto más contenta de no haber estado empapada.

Mientras el capitán Morgan pedía ayuda por radio, la capitana Silver confesaba todo su plan. La razón por la cual no quería que nadie visitara su barco era porque temía que alguien pudiera notar algo raro. Por ejemplo, el hombre encorvado, que se llamaba Bob, no era ni mucho menos un marinero.

—Por eso vi a seis miembros de la tripulación a bordo el otro día —dijo Jen.

—Efectivamente —dijo la capitana Silver—. Tenemos una tripulación de cinco miembros para la regata, pero los otros estaban aquí para ayudarnos con el segundo barco cuando no lo usábamos.

—Y ocultó el segundo barco en Cala Escondida —exclamó Jen—. Ahora todo tiene sentido. Zeke lo vio desaparecer en el Triángulo de Poseidón, pero lo que vio fue el barco metiéndose en Cala Escondida.

—Eso es —dijo Zeke— y cuando Jen vio que un barco se estrellaba contra los acantilados, era *El Fantasma* que se dirigía a Cala Escondida después de haber estado entrenando a altas horas de la noche.

Jen sonrió burlonamente.

—Así pues, después de todo, los dos vimos en realidad un barco *fantasma*.

Zeke se volteó hacia Bob.

—¿Fue usted el que hizo los nudos en los cabos del *Estrella Polar* y el que escondió los chalecos salvavidas?

—¿Y cortó las amarras anoche? —agregó Jen.

El hombre dijo que no con la cabeza y miró a la

capitana Silver. Cuando ella asintió para que él continuara, dijo:

—No hice nada por el estilo. Simplemente quería ver cómo iba a ser la regata. No obstante, sé quién hizo todas esas cosas.

—¿Quién? —Jen preguntó sorprendida.

Zeke levantó la mano.

—No, no nos lo diga todavía. Supuse que Chris había estado intentando sabotear la competencia por el puesto juvenil de la tripulación con una falsa llamada a Tommy y haciéndome otras cosas a mí, pero él no fue el responsable de esas bromas, por llamarlas así. Tuvo que ser Peter Dickey del *Viento Regio*.

—Efectivamente —dijo la capitana Silver—. Bob me dijo que lo había visto, pero ¿cómo lo supiste?

Zeke sonrió y dijo:

—Anoche, cuando saqué la lancha, pregunté quién había sido el último en alquilar el equipo de buceo, y la única persona que lo había hecho era Peter.

—Pues con todos los problemas que estaba causando —dijo el capitán Till— tendría que haber prestado más atención a sus propias obligaciones.

—¿Qué quiere decir? —preguntó Jen.

El capitán no pudo ocultar su sonrisa.

—Se suponía que él se ocuparía de las velas y no lo hizo. Por descuidado, una de ellas se rasgó y el *Viento Regio* ¡ni siquiera pudo acabar la regata! ¡No lo vamos a ver en Mystic por mucho tiempo!

Jen y Zeke se miraron y echaron una carcajada.

—Le tengo que hacer una pregunta —dijo Jen, mirando al capitán Till—. ¿Por qué nos advirtió el otro día que nos mantuviéramos alejados de las calas del sur?

—Porque son peligrosas, por supuesto.

—¿No hay ninguna otra razón? —preguntó Jen.

El capitán negó con la cabeza, dando la impresión de estar confundido.

—¿Y qué hay de cuando lo escuché intentando sobornar al capitán Morgan para aligerar el *Estrella Polar*? —agregó Zeke.

El hombre de cabello blanco pareció avergonzarse.

—No me siento orgulloso de ello —admitió—, pero sabía que Billy Morgan no me tomaría en serio. Lo dije como una pequeña broma, aunque estoy seguro de que a ti te pareció deshonesto. Confío en que podamos olvidarlo, ¿está bien? Prometo no volver a bromear así nunca más.

—Por supuesto —dijo Zeke. Jen asintió con él.

Luego, Zeke se dirigió al capitán Morgan, que acababa de salir de la cabina de radio:

—Espero, señor, que no pensara que yo era el responsable de algunos de esos errores.

—No te preocupes, Zeke. Ahora que ya sé lo que pasó, sé que no sólo eres el mejor marinero juvenil sino que tú y tu hermana son también los mejores detectives de la zona.

En ese instante, unos espectaculares fuegos artificiales iluminaron el cielo.

Todos, con excepción de la capitana Sally Silver y Bob, gritaron con entusiasmo.

—Así pues, ¿cómo se siente uno después de haber ganado? —le preguntó Jen a su hermano.

Zeke sonrió.

—¡Oh, supongo que bien!

Sobre la autora

Laura E. Williams ha escrito más de veinticinco libros para niños. Los más recientes de la serie RESUÉLVELOS TÚ son *El misterio de la maldición de la mala suerte*, *ABC Kids (Los chicos del ABC)* y *The Executioner's Daughter (La hija del verdugo)*.

A Laura Williams le encantan los faros y, al igual que Jen, se marea cuando navega en un velero. Espera poder visitar algún día una pensión en un faro, como la de Mystic en Maine.

Faro de Mystic

Ficha de sospechoso

Nombre:

Motivo:

Pista:

¡Acompaña a Jen y a Zeke y
resuelve estos otros emocionantes
misterios del Faro de Mystic!

El misterio de
la Curva del Muerto

El misterio del
faro oscuro

El misterio del
tigre desaparecido

El misterio de la
maldición de la mala suerte

Muy pronto:

El misterio del
teatro embrujado